全彩图
升级版

四五快读

第一册

杨其铎 著

湖南科学技术出版社

图书在版编目（CIP）数据

四五快读　第一册 / 杨其铎著. ——修订本. ——长沙：湖南科学技术出版社，2010.10（2018.3重印）

ISBN 978-7-5357-6422-5

Ⅰ. ①四…　Ⅱ. ①杨…　Ⅲ. ①识字课－学前教育－教学参考资料　Ⅳ. ①G613.2

中国版本图书馆CIP数据核字（2010）第179897号

四五快读　第一册　全彩图　升级版

著　　者：杨其铎

责任编辑：柏　立

出版发行：湖南科学技术出版社

社　　址：长沙市湘雅路276号

http://www.hnstp.com

邮购联系：本社直销科　0731-84375808

印　　刷：湖南天闻新华印务邵阳有限公司

（印装质量问题请直接与本厂联系）

厂　　址：邵阳市东大路776号

邮　　编：422001

版　　次：2010年10月第1版

印　　次：2018年3月第19次印刷

开　　本：787mm×1092mm　1/16

印　　张：7.125

插　　页：12

书　　号：ISBN 978-7-5357-6422-5

定　　价：29.80元

中国学前教育研究会常务理事 王风野

阅读能力是人持续发展的重要工具性能力之一，而早期阅读是儿童成为成功阅读者的基础和终身学习者的开端。前苏联教育家苏霍姆林斯基指出：“孩子的阅读开始越早，阅读时思维过程越复杂，阅读对智力发展就越有益。”我国的《幼儿教育指导纲要》也要求“利用图书、绘画和其他多种形式，引发幼儿对书籍、阅读和书写的兴趣，培养前阅读和前书写技能。”对儿童早期阅读的重要性，目前国内外教育界已形成共识。

儿童早期阅读并非始于识字，但识字是阅读的重要基础。如果在适当的年龄，用正确的方法让孩子提前识字，就能使孩子较早进入自主阅读，从而促进阅读能力和相关智力的较快发展。

《四五快读》是一套适合早期儿童识字阅读的读本。

本书作者杨其铎女士是一位作风严谨、勇于探索、成果丰硕的早期教育专家。她以成功培养自己的两个孩子（一为北大博士，一为清华少年大学生）为起点，进而开展对群体儿童早期教育的研究和实践。十几年来，培养了千余名早慧儿童，摸索总结出一整套独具特色的早期儿童智力能力培养的方案——“壹嘉伊方程”。《四五快读》（意为四五岁就可以识字，认识四五十个汉字就开始进入阅读）就是该方案中的识字读本。

目前，儿童早期识字的读本不少，各有千秋。**本书的特色是：边学汉字，边根据已学汉字循序渐进地进入阅读符合幼儿认知水平、符合儿童生活情趣的词组、句子、短段、长段、短文，直至阅读由这些汉字编成的故事、童话等。**

这样，单个枯燥的汉字不断被组合成鲜活的、生动有趣的词语、句子、故事。孩子很快就能够理解汉字所蕴含的意义，在脑海中形成与这些词语、句子、故事所表达的意思相符的生动画面，一步步品尝到识字乐趣，轻松愉快地识字，并很快获得自主阅读的能力。

《四五快读》采用的是形象、比喻、诱导、启发式的教学方法，用充满童趣的语言、生动形象的肢体动作和互动交流来教授汉字，能让儿童对识字产生好奇和兴趣。本书对每一个汉字的教授方法作了解说，方便家长、教师使用。孩子学完本套7本书，就能认识960个汉字，掌握4200个词语，能阅读600字的故事，并由此积累词汇和知识常识，产生自信心、成就感，进而习惯阅读，养成热爱阅读的好习惯，使其受益终生。

《四五快读》还将学识汉字、自主阅读的过程同步设计为开发多种智力能力的过程。每课后设置问答，既可加强对所学汉字、词语、句子、故事的理解，也启发孩子思维，提升注意力，训练记忆力，培养想象力、创造力。

《四五快读》在实验过程中十易其稿，经过十几年的教学实践，证实了它的可操作性和优越性。2004年第一版发行后，经过全国大量家长、早期教育机构的使用，证实了该书是一套符合早期儿童心理特点和教育规律的优秀识字读本。尤其是2009年第二版发行后，一直居少儿类图书销售前位，进一步证实了此书的效果。期望升级版（第三版）《四五快读》使更多的儿童获益。

❶ 全国最早进入自主阅读的一套教材

《壹嘉伊方程》系列教材中的“四五快读”识字阅读教材是经过十多年的教学实践、积累和修改，十易其稿而成的。它不同于普通的幼儿识字教材，是边学汉字边根据已学汉字进入阅读词组、句子、短段、长段、短文章直至故事、童话。“四五快读”的含意是“学习四、五十字就进入自主阅读”，它是全国最早进入自主阅读的一套教材。

❷ 全国最好的识字阅读教材，孩子们爱不释手的书

自2004年出版后，受到广大家长和孩子的喜爱和肯定。因为书中的每一个字，孩子都认识，每个词、每句话、每个故事，孩子们都懂，而且学会第六册后，孩子就可以读懂普通报纸的大部分内容，从而增强自信心和成就感，并从小打下喜爱阅读的好习惯，为一生的学习奠定坚实基础。不少家长盛赞此书为全国最好的识字阅读教材，孩子们爱不释手的书。

❸ 循序渐进学习汉字，轻松快乐进入阅读和学校学习

在孩子学会了最基本的16个字：人、口、大、中、小、哭、笑等之后，就开始学习词语“大人”、“大哭”、“大笑”等。

在学会32个字后，开始学习短句，例如：“我有好爸爸、好妈妈。”、“天上有太阳、月亮、星星。”、“地上有土、石、山、水田等。因为加进了常用虚词“有”，便可以组成句子，也就开始了阅读。

在学会了88字（第一册）后，学习的句子更长。在第二册，就由阅读20~30个字的短段进入60~70个字的长段。第三册，就可以读200字左右的短文。第四、五、六册就读600字左右的故事了。“四五快读”的汉字与小学课本同步，坚持半年可学完本套书前七册，可以认识960个汉字，4200个词语（含130个成语、俗语）。孩子入学后，即可轻松进入学习状态。

❹ 详细全面的教学方法

本书提供每个字的具体教法，家长可以学会形象、比喻、诱导、启发的教学方法。

每课后的提问具有多种开发智力能力的作用，并引导孩子学会思考。增设了培养幼儿专注力的训练内容。

❺ 具有系统性，适合幼儿园、培训机构选作教材

升级版（第三版）亮点：

1．应读者要求，每课阅读故事中增加了许多彩色插图。

2．为了提高孩子的阅读能力，增加一个新品种，即由《四五快读》所识汉字编写的《四五快读故事集》，该书共有50篇故事，前8个故事没加新汉字，从第9个故事开始加新汉字，读完《四五快读故事集》又可学会273个新字。

3．为提高专注力训练教学中的“听两句话，找出相同的一个汉字”一项，提供了完整的例句。

《壹嘉伊方程》教授汉字的方法，是根据儿童主要以形象思维为主的特点，基本采用形象、比喻、诱导和启发的方法进行。每一课都把教授汉字和词语的方法直接介绍出来，便于家长和教师在教学时参考。

为了尽快使孩子进入对于词语的理解并逐渐积累词汇，本册书在儿童认识了16个汉字后，便利用已经学会的汉字介绍词语。为了增强儿童对词语的理解，在词语后面配有与此词语意思相应的图画，让儿童寻找。并用汉字卡片拼摆出与图画相应的词语。通过“词语选画、画配字卡”的过程，既起到理解词语的作用，又使孩子加深了对词语的记忆。

同样，为了使孩子尽快进入阅读，本书在儿童认识了32个汉字后，便开始引入句子。也是利用已经学会的汉字组合成儿童能够理解的句子，再根据句意在后面的图画中寻找相应的画面，最后用卡片拼摆出这个句子。通过“句子选画、画配字卡”的过程，不仅起到理解句子的作用，且记住了句子，还逐渐领悟到汉语语法，提高语言理解和语言表达能力。

为了使儿童更灵活、准确地识记、复习和掌握汉字，为了增加动手机会，以便提高儿童学习汉字的兴趣，“四五快读”每册都配备了足够量的汉字卡片，用来拼摆词语和句子。

为了提高孩子的专注力，通过教学实践后，“四五快读”于再版中又加进了听知觉和视知觉的训练内容。在训练专注力的同时，又加强了对虚词和形近字的认知和巩固。

对于初学汉字的孩子来说，复习是最困难的。在第一册中，我们集中介绍了很多用来进行汉字复习的游戏。希望家长和教师对其内容进行认真领会，并引发出您更多的灵感和方法。

本册共介绍88个汉字，166个词语，28条短句，10条较长句子。

目 录

早读的孩子更易成功 001

(一) 阅读是现代社会人人必须学会并掌握的工具 …………………… 001

(二) 大量阅读，快速阅读对孩子意味着什么 …………………… 001

1. 阅读是成才不可或缺的工具 / 001

2. 早期大量阅读的孩子多优秀 / 002

(三) 阅读从识字开始，早期识字的孩子能轻松走上学习轨道，形成良性循环 …………………… 003

1. 早期识字可以开发智力 / 003

(1) 发展注意力 (2) 发展观察力 (3) 锻炼思维能力

(4) 发展想象力 (5) 锻炼记忆力

2. 可以培养良好的性格和习惯 / 005

(1) 激发学习兴趣 (2) 陶冶性情 (3) 提高自信、自律易形成良性循环

(四) 培养良好的情商从阅读开始 …………………… 005

(五) 我国大多数家长不重视阅读 …………………… 006

(六) 世界发达国家高度重视青少年阅读 …………………… 007

(七) 美国的阅读教学 …………………… 008

一本从实践中来，事实证明效果显著的幼儿早期识字读本 009

(一) 本书的容量及特点 …………………… 009

1. 本书的含量 / 009

2. 本书的特点 / 009

(1) 选用最基本的常用汉字，与小学课本同步

(2) 由字尽快进入词、短句、长句、短文、长文、故事，内容均由已学的字词组成，孩子易学又有趣

(3) 采用“形象、比喻、诱导和启发”等教字方法，采用“先阅读，再看

图，再摆字卡”的顺序学习词组和句子，加深对字、词、句的理解
（4）每课后的提问具有多种开发智力的功能
（5）“字族字”教学法
3. 在版扩充的特点 / 011
（1）教识汉字的新方法可提高专注力
（2）通过巩固对虚词、形近字的认读，提高专注力
（3）初步认识部首
（4）初步认识同音字
（5）初步认识多音字
（二）专家的忠告：让孩子从幼年即开始阅读 …… 012
早期识字有章可循，方法正确，前景光明 013
（一）汉字的特点 …… 013
1. 字、词分离 / 013
2. 表意兼表发音 / 013
3. 富形象、富含义 / 014
（二）不可不讲的早期识字十四原则 …… 014
1. 游戏识字 / 014
2. 逐渐形成定时、定点、定人、定方法的识字习惯 / 014
3. 教字必须要用标准的普通话 / 015
4. 不要就字论字，要教出趣味来 / 015
5. 识字时要调动孩子进行思考 / 015
6. 解释字意的话语不要太多，以简明为要 / 016
7. 先教有具体意义的字，后教字意抽象的字 / 016
8. 注重用鼓励、肯定的方法激发孩子学习的上进心 / 016
9. 识字时，要密切注意孩子的眼神 / 016
10. 认字的同时，最好让孩子读出声音来 / 017
11. 每次识字，最好要在孩子兴趣最高时结束 / 017
12. 尽早进入阅读 / 017
13. 重视“三岁波折” / 017
14. 对于始终对文字不感兴趣的孩子，不可勉强 / 018

（三）效果极佳的早期识字的方法种种 …… 018

1. 怎样教不会说话的婴儿识字 / 018
2. 怎样教正在学讲话的婴儿和已会讲话的婴幼儿识字 / 020

（四）及时复习巩固识字成果，识字复习要注意方法 …… 024

1. 平时复习汉字的游戏 / 025
2. 进行大量复习的游戏 / 027

（五）尽快进入阅读是提高识字兴趣的重要手段 …… 028

1. 亲子朗读，激发孩子的阅读兴趣 / 028
2. 让孩子体味阅读的乐趣 / 029
3. 如何引导孩子进入阅读 / 030

第一课 …… 031

第二课 …… 035

第三课 …… 039

第四课 …… 045

第五课 …… 051

第六课 …… 058

第七课 …… 065

第八课 …… 073

第九课 …… 080

第十课 …… 087

课后复习一 …… 095

课后复习二 …… 104

早读的孩子更易成功

一 阅读是现代社会人人必须学会并掌握的工具

阅读是一种工具，人们几乎每天都在阅读：看报纸、杂志；看股市行情；上网查资料；看外文电影读字幕；读文件、做批示；作报告看讲稿；谈生意签合同等，无一不是通过阅读的形式在进行。

如果一个人的阅读水平不够高，会在学习、生活中遇到许多困难。

例如:听别人说话可能得出完全错误的理解；一个简单的问题，因为你的表达有问题，对人说了好几遍，他却依然不懂；一部稍有深度的影片，有的人却看不懂，似乎有些“弱智”； 有不少成年人看不懂家用电器说明书，更不敢去操作等；有不少人在学一门新学科、掌握一门新技术时很吃力，连看书的速度都比别人慢许多，努力赶，仍然力不从心；学习英语，因为汉语基础差，翻译时让听者丈二和尚摸不着头脑等。其实，这些都是阅读不够、积累不够、体会不够而已。

无论哪门学科知识都来源于书本，无数伟大的人物：社会学家、哲学家、文学家、科学家、技术发明者等，都把他们一生的积累写成文字，流传后世，我们才得以间接但快捷地认识了自然和社会，世界才能够以惊人的速度发展到今天。因此，如果想让孩子将来在学业上有所成就，请让他尽早开始识字阅读吧！阅读是成功的起步之路，必由之路。

二 大量阅读，快速阅读对孩子意味着什么

1 阅读是成才不可或缺的工具

现在的孩子都很累，除了幼儿园和学校里安排的课业，家长们还要增加很多的训练，孩子们在抱怨，没有时间玩，更没有时间看书。。

在学业竞争中，忽然感觉自己的孩子不如别人：

应用题总是不能全部做对；写的作文，朗读起来总感到有那么一点拗口，还偶然跑题；英语的翻译也不那么通顺……因为写作文吃力，家长就到处去买“作文指南”、“教你如何写作文”等塞给孩子，希望一夜之间出现奇迹，能够从孩子的笔尖底下写出美妙流畅的文字。不妨去访问一下作文好的孩子，访问一下在知识竞猜中得奖的孩子，他们是从哪里得到那么多华丽的辞藻、流畅的语句和生动的描绘？是从哪里得到那么多

丰富的知识？答案几乎是一致的：就是阅读，大量的阅读，快速的阅读。

学业竞争的冲刺阶段，发觉孩子很努力仍力不从心；知识点都掌握了却拿不到高分：

我国学业竞争的特点之一是比速度，答题要求又快又准，阅读能力不强的孩子，读题、理解题意总比别人慢，在大量题目的测试中无法领先；越到后期的竞争，越考验学生举一反三、综合概括运用各种知识点解题的能力，而阅读能力弱的学生，因思维训练有限，综合概括能力不强，解题能力往往会受到制约。真后悔没有进行早期阅读训练，大量的阅读，快速的阅读。

有很多令家长羡慕不已的孩子，面对广大的听众，他们大方、自信、出口成章；对于某个问题，他们能够得心应手、准确无误地表达自己的想法，分析得那么透彻，条理那么清晰，逻辑那么缜密。他们是从哪里练就的这种本领，从哪里学到流畅的语言和正确的语法，从哪里训练出这种缜密的思维和良好的心理素质。其实，还是阅读，大量的阅读，快速的阅读。

❷ 早期大量阅读的孩子多优秀

从阅读简单的童话、故事开始，孩子们就逐渐掌握和积累着大量的词汇和句式；理解着语言的表达方式；无意中就掌握了正确的对话方式和语法关系;在语言表达时，很自然地就会运用从书本中学得的词汇和句式，清楚无误地表达自己的思想。此外，他们又在书中学到了事物的辨证逻辑关系，事物发展的因果关系，于是，语言表达时，思维自然而然地会沿着事物发展的规律，有条不紊地娓娓道来，使听者感到是那么的清晰、明了。所以，阅读能够造就高水平的语言表达能力和思维能力。

面对一个有如此表达能力的孩子，周围的人对他的评价，不言而喻会很高。试想，经常被肯定的孩子，他的心态一定是自信而开朗的。

阅读很少的孩子，一般思想是幼稚的，情感是简单的，思维是凌乱的，语言是模糊的。见过不少小学高年级的，甚至初中、高中的学生，请他们叙述一件事情，听者居然“不知所云”；老师用简练的语言提出问题，学生也居然听不明白问的是什么。毫不夸张地说，更有甚者，甚至少数具有高学历，诸如硕士、博士们，也有出现听不懂话语，表述不清自己思想的情况发生。

总之，有效的阅读既对孩子进行了词汇、句式、语法的训练，又对孩子进行了逻辑思维训练，自然就练出了高水平的语言表达能力和自信而开朗的心态。在不断的阅读中积累，又在语言的实践中升华，两者互为依托，互相促进而形成良性循环。

可以说，阅读训练的效果如何，也就大致决定了孩子的未来。因此，督促孩子阅读吧，大量的阅读，快速的阅读。

三 阅读从识字开始，早期识字的孩子能轻松走上学习轨道，形成良性循环

❶ 早期识字可以开发智力

有不少人认为，汉字是很死板的东西，硬灌给孩子是对他们的伤害。实际上，如果按照儿童的认知特点去教，教汉字的过程，同样是开发智力的过程。

（1）发展注意力

幼儿的记忆方式主要是无意记忆和机械记忆。而成年人的记忆方式主要为有意记忆和理解记忆。如果我们不去有意地训练幼儿的记忆方式，而任其自由发展，那么他们由无意记忆进而为有意记忆，由机械记忆进而为理解记忆将会是一个较长的过程。但是如果我们有意识地引导并且方法应用得当的话，这个过程将会大大地缩短。

● 幼儿记忆某些事物大多数是在无意注意中，眼睛扫过去，而记住了一些影像，很模糊，也不解其意。

● 如果我们很郑重地对幼儿说：“现在我要教给你一个字，你要认真看，好好记。我知道你是一个爱学习的能干的好孩子。”会怎样呢？因为我们交给了他一个具体的任务，又预先鼓励了他，他自然就会集中注意力，主动地去接受这个信号，这就是有意注意。而有意注意的记忆效果远远大于无意注意。如果我们这样逐步地去训练他，孩子的有意注意和有意记忆便会很快发展起来。

（2）发展观察力

当幼儿学会一些汉字后，都自然会对带有这些汉字的事物感兴趣。例如：走在街上，会去念商店的名称、牌子；看到一本书，会去念书名；看电视时，会找自己认识的字大声地读，甚至连一小片带字的纸都会去注意上面有没有他认识的汉字。如果孩子不识字，一般就不会去注意那么多的事和物。因此识字无形中训练和发展了他们的观察力。

（3）锻炼思维能力

当幼儿认识的字多起来时，便会主动地去辨别这些字的部首，像我的孩子在三岁时，就经常问一些关于汉字方面的问题。如：为什么有这么多的字都有一边是“木”啊？经过有意识的引导，孩子就会去思考：因为树都可以做木材，所以以“木”为部首，如：桃、柳、杨、梨、杏等树木。而过去的家具都是木材做的，所以如：椅、柜、桌等家具的字大多数也以“木”为部首，于是，孩子会得到一个概念：凡是以“木”字为部首的字多是树木和家具。这样，以后他们在见到不认识的，是以“木”为部首的字，就会去猜，这个字不是树木就是家具。

又例如，她还会问："'长'有时念'长短'的长，有时又念'长大'的'长'，为什么？"。在孩子主动提问时，理解和记忆的效果就特别地好，这时告诉她，这是个多音字，在什么词中念长（zhǎng），在什么时候又读长（cháng），孩子就会记得很牢固。

有时还会主动去分解汉字的组成，如：'朋'字是两个月字，两个月亮在一起，就是好朋友。

有时还会拿出好多个相同读音的字来问你："怎么读'明'的字有那么多呀？明、名、鸣，它们的意思不一样吧？"

以上这些都无形地训练和发展了幼儿的思维能力，并培养了爱思考的好习惯。如果孩子不能主动提出这些问题，我们也可以启发他想问题，有意地训练他的思维能力。

（4）发展想象力

汉字中有很多字确实含义很深，我们可以把这些汉字分解开来，让孩子理解记忆。

例如"碧"就是白色的玉石；"宝"就是家里的宝玉；而"谢"就是把身体躬下来，变矮为几寸高，同时嘴里说着道谢的话。

在我们的引导下，孩子会很快找出很多可以分解的字，既可以提高孩子学习汉字的兴趣，又能够发展想象力和创造力。

还可以启发他们去思考一些历史遗留的问题，例如："射"（身体只有一寸高），按道理是矮的意思，应该读"矮"，为什么要读"射"；而"矮"（将箭射出去），应该读"射"，为什么读"矮"？另外，"重"可分解为千里，应该读作"出"，"出"可分为两座山叠起来，应该读作"重"，好像也和字的意思相反。莫非我们的老祖宗一次偶然的失误，颠倒了这四个字？当我们把这些字拿来给孩子分析时，便会大大地激发他们的想象力和创造力。记得我的女儿就曾经创造过很多她认为有意义的汉字。这对发展孩子的想象力和创造力都是很有作用的。

（5）锻炼记忆力

记忆力不是天生不变的，它可以通过锻炼逐渐增强。成年人的记忆方式多数为理解记忆、联想记忆、形象记忆等。而孩子刚开始认字时，主要依靠机械记忆，因此不可能一次认很多个字，但随着他们兴趣和理解分析能力的提高，每次记忆的汉字个数就会不断增多，由二而四而八而十。我女儿的识字量平均是每天10个，一个季度下来，就学会了一千字。如果再加上鼓励和赞扬，孩子的记忆力更会不断增强。我教过的很多孩子，刚来时一次只能认记两三个字，一两个月后，一次就可以认记6~8个字了。

总之，如果我们教孩子识字的方法是启发式、引导式的，是形象的、有趣味的，那么，在识字的过程中，就一定会全方位地开发孩子的智力。

❷可以培养良好的性格和习惯

（1）激发学习兴趣

当孩子学会了一定量的汉字，并且对阅读感兴趣后，便会身不由己地渴望着读书，读书会成为孩子最大的享受。我的女儿在接近三岁时，就已经认识了一千字。我给她编了一本书，大约二十页，字较大。她每天晚上都吵着要念书，一念就是从头到尾全部要念完。念完后，我说："我们玩别的吧？""不行，还要念。"于是又从头到尾一遍。就这样，每天要连续读两个小时。四五岁时便看很厚的文字书，一看就是几个钟头，还会时笑时哭，非常投入。

孩子到了这一阶段，求知欲极强，好像一块挤干的海绵，迫不及待地迅速地吸收着知识的琼浆玉液。他们自由地徜徉在童话世界和知识的海洋中，去领略童话中无与伦比的美妙境界和探寻大千世界中广袤无垠的秘密。

（2）陶冶性情

儿童文学作品的最大特点就是能够激发孩子感情的共鸣；引导他们认识什么是善，什么是恶；教育他们如何去做个优秀的人。尤其是童话，大都是人物和情节比较简单，结果很明朗：好人必得好报，而坏蛋必定得到应得的下场。因为这些作品贴近孩子的心理世界，多是孩子们喜爱的人物或小动物，当他们读书时，就很容易理解，很自然地会激发他们的道德情感，健全他们的人格，使他们能够自觉地修正自己的不良行为。这比我们一千遍一万遍地对他们讲，如何做一个善良的、诚实的、勇敢的人，要直观、快捷、容易得多。

（3）提高自信、自律，易形成良性循环

孩子提早进入阅读，往往得到更多的赞扬和喜爱，这种正向的鼓励会极大增强他们的自尊、自信、自爱和自律精神。

广泛的阅读让孩子逐渐扩大了知识面，于是他们想要知道的东西会越来越多，越发想去探索。当感到自己还有许多字不认识，会影响看书时，便会更努力更自觉地学习，无形中就形成了良性循环，逐渐养成良好的学习习惯，同时也训练了孩子的自学能力。

所以一般早读的孩子，并不需要成人过分的训诫，大多有着良好的性格和习惯，很轻松就走上了学习的轨道，就是这个道理。

四 培养良好的情商从阅读开始

现在的孩子已经提早进入社会的竞争，是家长以一己之愿引导他们进入的。竞争的内容多数是为了提高学业成绩和能够掌握一技之长的训练，如：英语、奥林匹克数学、作文等知识性的以及弹琴、绘画、跳舞、体操、足球、围棋等技能类的。这些都是非常好的训练，使孩子各方面的素质有很明显的提高，远远超过他们父母的当年。

但是思考过没有，一个人要想在事业上有所建树，最重要的是什么？是对目标不懈的追求，对事业无私的奉献，对他人客观的体察，对人生的乐观、坦然。是面对困难的努力，是面对挫折的坚韧，是面对极限的拼搏，是面对分歧的包容，是面对失败的奋起。总之，性格决定命运。因此，要重视培养孩子良好的性格、心态，行为和习惯。

即便我们对孩子道德品质的培养很为用心，对行为习惯的养成很为在意，但在人短短的生命中，能够实践的经历太短暂，能够理解的道理毕竟太空洞。那么人生的初期从哪里去明白事理，识别善恶，理解他人，体会人生呢？童年时，是从妈妈讲的故事里；学会阅读后，是从那些惩恶扬善的童话、民间故事里；青少年时，是从大量的小说、人物传记里得到。读书多的人，可以从不同年代、不同背景、不同种族、不同国家的书里，了解到各种时代背景下人们的遭遇、经历；体会到不同境遇下人们的感情、心态；理解到什么是艰辛、痛苦、挫折、磨难，从而丰富了自己的内心世界，提升了自己的道德、情操。这些，是从家长和教师的说教中很难理解、很难体会得这么深刻的。惟有书，积淀了几千年文化的书籍，能够直接赋予我们人生的哲理，做人的准则，良好的情操，丰富的情感和坚韧不拔的意志。所以，读书吧！让孩子们多多地读吧，古今中外的书都要读。

五 我国大多数家长不重视阅读

现实中，我们的教育在倒退。原因在哪里？因为大多数的孩子们不重视阅读，作为知识构建最基础最重要的阅读被忽视了，被当作无用的东西摒弃了。

首先，作为孩子们“第一任教师”的家长们就因为“工作忙”“要为自己充电”等理由放弃了阅读，以至出现“在中国，有阅读习惯的成年人仅占2%”的局面。这无形中就给孩子们树立了一个“不必阅读”的榜样。

其次，被升学率支配得团团转的学校，已经无法安排给孩子们进行阅读的时间。久而久之，我们一个有着泱泱五千年传统的、尊重文化、崇尚读书的，有着“行万里路，读万卷书”的民族停顿了，甚至是倒退了。

其实，国家教育部规定了中学生、大学生每年都要读一定量的课外书籍。但实际上，许多中学生，那些指定要阅读的书籍，90%都没有读过；许多大学生连中国的四大名著都没有读过；有些大学中文系的学生甚至连《子夜》、《雷雨》、《骆驼祥子》这些近代名著都没有碰过；100本大学生必读书中，有些文学系的学生也仅只读过十几本。中文系的大学生尚且如此，其他学生的情况就更不用说了。

我们的中小学生其实有看书的欲望。但是看什么书呢？家长们没有给孩子树立爱看书的榜样，没有激发孩子看书的兴趣，没有督促孩子养成看书的习惯，没有进行看好书的引导，没有建立检查孩子看什么书的规矩，更没有给孩子腾出读书的时间。于是初中生甚至高中生手里拿的居然是卡通画册，一满篇花里胡哨的图画中，仅有一两句文字。有的学生甚至在好奇心的驱使下，偷偷地买那些充斥着色情和暴力的书。

如果我们的教育不能引导学生健康成长，不能为孩子的未来奠定稳固的基础，那么，在未来全球的经济发展中，我们的国家将向何处去？

六 世界发达国家高度重视青少年阅读

我们要努力接轨的发达国家的阅读教育情况又是如何的呢？

2002年，世界经济合作与发展组织（OECD）从28个经合组织国家和4个非经合组织国家中，抽选了26.5万多位15岁的青少年，进行了第一次测验，把重点放在阅读能力测试上。测验的内容包括：阅读短篇故事、网络信件、杂志报道及统计报表等各种形式的资讯，然后，从三个方面来衡量他们的阅读能力：

- 吸取的能力。即能否从阅读的文字资料中找到所需资讯。
- 解读资讯的能力。即能否正确解读资讯的意义。
- 思考和判断能力。即能否将所读的内容与自己原有的知识、想法和经验相结合，再经过综合判断后，提出自己的观点。

结果发现，阅读能力越强的学生，越有能力收集、理解、判断资讯，并运用资讯有效地参与现代社会的复杂运作。他们通过阅读，增长知识，开发潜能，容易达到个人的奋斗目标。

实际上，两年前，从国际成人阅读能力的调查报告中，就已经明确地认证了：阅读能力强的人不但容易找到工作，甚至薪水也比较高。学历高低固然影响就业机会，但是在学历相当的情况下，阅读能力强的人担任高技能白领工作的概率就明显要高得多。而且阅读能力比学历高低更能准确地预测一个人在职场上的发展。

这次前所未有的跨国性调查，被视为检验各国教育体制和未来人力竞争的重要指标，实际上也就是对各国未来经济发展前景的检测。

阅读测验的结果是，芬兰第一，平均成绩高达547分；加拿大其次，成绩为534分；后面的名次依次为：新西兰、澳大利亚、爱尔兰、韩国、英国、日本等国，他们的平均成绩都在522~529分之间。美国阅读成绩达到平均成绩500分。

阅读和兴趣之间有着密不可分的关系。通过世界经济合作与发展组织2002年的第一次测验可以看出：对阅读表现出高度兴趣的学生，在测验中的得分都较高：每天能够自由阅读自己喜欢的读物不超过30分钟的，得分为513分；每天为乐趣而读书半小时到2个小时的学生，得分为527分；那些从来不为乐趣而阅读的学生，得分是474分，远低于经合组织给出的平均500分。

这次未冠名的“教育界的世界杯”竞赛，震动了各国政府，大家纷纷审视本国教育制度的弊端，并积极向他国取经、学习。

七 美国的阅读教学

世界强国美国，在青少年阅读测验竞赛中只达到平均水平，但他们的阅读教育仍对我们有着很大的启示。

美国的教育从幼儿园、小学开始就高度重视阅读课。

美国的幼儿教育很重视让幼儿听读，听读可以集中儿童注意力，丰富孩子的词汇，激发想象，拓宽视野，萌发情感。尤为重要的是，可以使孩子逐渐领悟语句结构和词意神韵，从而为今后的广泛阅读打下基础。

美国的小学也将阅读放在了非常重要的位置。美国的学校语言教学不讲语法和理论，主要就是阅读。

阅读分为两种：

一为精读。有精读课本，主要由老师讲，对内容进行分析，评论。学生们则在教师的带领下，理解课本内容，并对内容进行复述和概括。

二为泛读。由学校提出所要读书的书单。纽约州规定，小学生每年要读25本。每读完一本要写读书报告。

美国小学二年级的语文课文，一课有六七页，多为故事。四年级课文多为中篇故事。

美国的小学低年级就开始撰写论文，有的题目大得令人难以置信。其目的就在于扩大视野，提高阅读资讯的能力，培养分析、判断、综合等思考能力。并在这些不断训练的过程中，挖掘和培养学生们的创造能力。

美国的阅读教学实践认为，阅读课可以增大孩子的词汇量，提高理解和概括能力及写作能力，亦即培养了综合能力，使孩子善于讲话，会写作，公关能力强。

阅读是如此重要，为了给您孩子的终身学习奠定稳固的基础，让他有个更美好的明天；明智和清醒的父母，尽早让孩子识字阅读吧！给孩子营造一个读书的环境和氛围，早期识字阅读便领先一步，一步领先，步步领先。

一本从实践中来，事实证明效果显著的幼儿早期识字读本

一 本书的容量及特点

“四五快读”是经过十几年的教学实践，按照儿童心理认知水平，经实际探索，几经修改，积累而成的一套完全合乎儿童情趣和生活的阅读课本。它由浅入深地，由易到难地，由有具体形象的汉字到抽象的汉字，由“识字到读词组，读短句、长句、短段、长段，读短文章到长文章”编成的课本。在实际使用中已经证实是一套深受孩子们喜爱的识字阅读课本。

❶ 本书的含量

汉字共有三千多个，其中基本常用的汉字只有560个，学会这560个汉字，基本上就能够看懂简单的书报。而常用汉字为807个，次常用的汉字有1033个，三项共计2400个，占一般报纸杂志用字的99%。所以我国规定的扫盲标准是：城市人要学会1500字；农村人要学会1200字。

本套书分7册，前1~6册含有552字，1736个词汇，短句30句，长句16句，短文32段，长文18段，小故事34篇。并配有相应的汉字卡片，以便学习和复习、练习之用。

为了进一步增加识字量和词汇量，提高孩子的理解、分析、综合、判断能力，在第7册中，除了运用由已掌握的552个汉字，再编纂出的1740个词语和184个成语外，还引入“字族字”教学法。

在“字族字”教学中，由101个独体字又拓展出400多个汉字，新的词语增加600个左右。

“四五快读”这套书，最终以学习960个汉字、4200个词语（内含184个成语、俗语），可以读懂普通儿童读物80%以上的内容为结束。

❷ 本书的特点

（1）选用最基本的常用汉字，与小学课本同步

本书所选择的汉字即是最基本的常用汉字，和我国的小学通用教材基本同步。这样，孩子很快就可以阅读儿童文学和报纸，在进入小学后，也必然很轻松地进入学习状态。

（2）由字尽快进入词、短句、长句、短文、长文、故事。内容均由已学的字词组成，孩子易学又有趣

本书遵循“循序渐进”的原则，先学习最重要的、最常用的、儿童能够理解的字；之后用这些字组成词语；再用虚词和词组连接成孩子们在生活中能够接触到的、能够懂的短句、长句；再进入富有童话色彩的短文、长文；最后就是以童话为主的故事。孩子在阅读时，不会觉得吃力，因为这些字他都面熟，都认识，而当他把这些字、词连起来读时，居然是那么有意思的句子，那么好看的故事。孩子会因为自己会读而觉得自己“很棒”产生成就感，提高自信心；会因为内容有趣而产生兴趣和学习的积极性。

● 本书在编写时，力求以最快的速度进入词语、句子、短文、故事的阅读。例如开篇，在孩子学会了最基本的6个字：人、口、大、中、小、哭、笑等之后，就开始学习词语“大人”、“大哭”、“大笑”等。

● 为了把词组连接成为句子，就必须让孩子认识“是、有、要、和……”等常用虚词。本书的第一册就教授了十几个虚词，因此才能使孩子以最快的速度进入自主阅读。

● 本书在学会32个字后，开始学习短句，如：“我有好爸爸、好妈妈。”、“天上有太阳、月亮、星星。”、“地上有土、石、山、水田。”、“爸爸上山，妈妈下山。”等，这就是阅读的开始。所以，这套识字阅读课本，我们命名它为《四五快读》，其含义既是：“认识四五十个字后，就可以进入自主阅读”，还可以理解为“四五岁进入自主阅读”的意思。

● 本书在学会了88字后（第一册），学习的句子就更长，如：“不爱生气、不爱哭的孩子是好孩子。我爱笑，我是好孩子。”、“爸爸的爸爸是爷爷，爸爸是爷爷的儿子，我是爸爸的儿子。”等。在第二册，就由阅读二三十字的短段进入八九十字的短段。在第三册，就可以读200字左右的长段文章。而第四、第五、第六册就读五六百字的文章了。

（3）采用“形象、比喻、诱导和启发”等教字方法，采用“先阅读，再看图，再摆字卡”的顺序学习词组和句子，加深对字、词、句的理解

● 本书设有“汉字教学法”，介绍了形象、比喻、诱导和启发式等教学方法，而不是灌输、生搬硬套的方法。孩子在这个教学过程中，主动性被调动起来，积极配合老师进行学习，记忆和理解的效果就比较扎实。

● 学习词语，理解词语的方法是：先让孩子读清楚词语，之后，在另一页书的若干个图画中，寻找符合这个词意的画面，当词意和画面的关系清楚之后，再用汉字卡片摆出这个词语。

● 学习理解句子也同样采用这种方法：先读句子，再在几幅图画中寻找符合句子意思的画面，理解之后，再用字卡摆出句子。

经过这样几次理解和消化的过程，孩子们不仅从字面上理解和记忆了词语和句子，重要的是能够在头脑中形成词语的形象，句子的画面。这就形成了左右脑的有机配合，即事物形象、过程与语言配合的理想过程。相信孩子们经过这个过程，对于字、词语、句子的理解，包括记忆，都将会有比较透彻的效果。

（4）每课后的提问具有多种开发智力的功能

本书在每一课的后面都设计有对孩子的提问，即“爸爸、妈妈问宝宝的问题”。一种提问是为了检验孩子是否读懂了课文，是否记住了课文中的内容。另一种提问则是为了引申孩子们的思路，使他们能够向更深更广的方向去思考。在孩子思考和回答这些问题的过程中，不仅训练了注意力，记忆力，语言理解力，同时还训练了分析思考能力，语言表达能力以及创造性思维能力。

学会阅读并不等于学会了思考，很多的人一生只是学会了阅读，而不会思考。而我们这套书，尽可能地在孩子幼小的时候就引导他们去进行思考，学习思考，训练思考。

（5）“字族字”教学法

在第7册“字族字”教学法的教学过程中，使孩子在寻找、猜测和比较中，认识汉字部首的意义，了解了形声字，学习了分析、综合、判断的思维方法。

3 再版扩充的特点

作者经过最近两年的教学试验，利用“四五快读”对幼儿进行专注力的训练，效果显著。因此，在本书中增加了注意力训练方法。一方面提高孩子的专注力（听知觉和视知觉能力），一方面进一步巩固对虚词、形近字的认识。还增加了对汉字部首、同音字、多音字的认识。

（1）教识汉字的新方法，可提高专注力

从第2册第5课以后的每一册的每一课，老师或家长教孩子认识新汉字时，都加入了“听两句话中相同的某个字”的教学方法，可在学习汉字的同时，训练听知觉能力，提高听知觉专注力。

（2）通过巩固对虚词、形近字的认读，提高专注力

在每一册中，都增加了通过对形近字和虚词反复地读和数，以及倒读句子、课文等方法提高孩子的视知觉能力。通过听老师或家长读文章或生字表，来数听到的某个汉字的数目等，以提高孩子的听知觉能力。

（3）初步认识部首

在第7册中，将所学的汉字按照相同部首整理在一起，通过启发式教学，使孩子对汉字部首有初步的理解和认识，为以后的学校学习打下基础。

（4）初步认识同音字

在第7册中，将所学汉字中的同音字归纳在一起，通过启发式教学，使孩子对同音字有初步的理解和认识，为以后的学校学习打下基础。

（5）初步认识多音字

在第7册中，将所学汉字中的多音字归纳在一起，通过启发式教学，使孩子对多音字有初步的理解和认识，为以后的学校学习打下基础。

二 专家的忠告：让孩子从幼年即开始阅读

如果您的孩子还有幸处于学前的幼年时期，最好是还在襁褓之中，那么请接受我们的忠告：教孩子识字，鼓励孩子们读书吧！

“四五快读”已经经过几千名学前儿童的识字阅读实践，这些孩子在走入小学前，就已经奠定了较厚的阅读基础，所以他们在小学、中学阶段都是佼佼者，因为在阅读中，他们已经学会了理解语言、表述思想，学会了思维的方法，已经初步扎下了知识构建的基础。

我们之所以要将积累的经验，推荐到每一位父母手上。就是希望这一套真正有用的识字阅读教材，能够帮助您在百忙中，省力而又实用地引导您的孩子尽快地进入自主阅读，从小养成习惯阅读，喜爱阅读的好习惯，让孩子受益终生（已学习“四五快读”的孩子，大多数是坚持半年即完成全套学习）。

真诚地希望我们能够共同来构建孩子一生的基础，无论是做人还是能力，抑或是智力和知识，读书终究是根本的根本。

如果，您真的做了这样的努力，那么，在若干年后，您会惊喜地发现，您的孩子竟然变得如此的聪明睿智，如此的通情达理，如此的善解人意，如此的坚毅刚强。感谢书籍吧！书籍会塑造高尚的心灵、坚毅的性格、丰富的感情。

但，必须是好书。

早期识字有章可循，方法正确，前景光明

中国是世界四大文明古国之一，我们祖先发明的汉字具有独特的魅力。我国文字的雏形多数都是仿照实物或实际景象的象形字，即甲骨文。到了秦朝，秦始皇统一六国文字，完成了由大篆—小篆—隶书的简化。以后经过书法家的研究、探讨，文字进一步向现代文字变化，又出现了楷书、草书等。新中国成立以后，国家对繁杂的汉字进行了两次简化，最终定型出我们今天所用的汉字。

经历几种变形后，虽然现在用的基本是楷体，但不论是隶体、篆体，还是大、小草体汉字，都是一幅幅很美的图画，很多还是富有形象或寓意。难怪很多中外文学家都盛赞汉字是世界上最美的文字，也是最容易学习的文字。

很多国家的文字是由字母拼写而成，要想记住词汇，就要记住数万个单词的拼写顺序，很费记忆。还有一些国家的文字虽然不是拼写而成，但字形非常接近，也很难记忆。只有汉字，具有它独特的规律，只要掌握了它们的规律后，便很容易学会它。

汉字究竟有什么特点呢？

一 汉字的特点

1 字、词分离

汉字是以每个字为一个单位，再去和其他的汉字相配而构成词汇。例如“白”字就可以和其他的字组成163个词汇，如：白天、白色、白菜、明白、雪白、苍白……所以，汉字总共有四五万个词汇，仅只需要三千左右的汉字就可以组成。这样的组合，比死记四五万个词汇要来得轻松而容易得多。

2 表意兼表发音

汉字中 80%为形声字。形声字即是不同部首配以相同的一个独体字，如：青、清、情、请、晴、蜻、箐、精、睛、菁、靖、婧、腈、静、靓等。它们中都有一个独体字——青，当配以不同部首时，根据部首的含义，即表示出了这个字的含义，而且读音也基本相同。如：情——心情，晴——晴天，清——清水，蜻——蜻蜓；睛——眼睛，精——精米等。这样，认识了一个独体字，又了解了部首的含义，就可以一下认识很多汉字。

③ 富形象、富含义

汉字中有很多是从象形文字中变化而来的，因此它带有很强的形象性。

例如：人，就像一个站立着的叉开双腿的人；木，就是一根带树杈的木头；水，就是水波变换而成；雨，就是在一个窗口看到下着的几颗雨滴；鼻，在一个大鼻子下流着两条鼻涕；哭，在两只大眼睛下，挂着一滴眼泪……这样的字，学习的时候，就像看见一副很形象的画面，难怪很多小孩子能够很快记住这些汉字。

还有一些字，是由具有含义的单字组合而成。如：森林，就是由五个木字所组成；明，就是由发光的日、月所组成；忍，心上一把刀；尖，上小下大就是尖；鲜，鱼和羊一起烹调，会很鲜美；甜，就是舌头有很甘美的一种感觉。聪，就是将人的耳、眼、口、心都调动起来以后，便会聪明；灭，就是将一个东西盖在火上，火自然就会熄灭……

这些富形象、富含义的字还可以举出很多，当我们理解了很多基本字的含义后，再扩大去认识其他的汉字不就很容易了吗！

二 不可不讲的早期识字十四原则

① 游戏识字

游戏识字是幼儿识字的最基本原则。幼儿的最大特点是活动性强，对一切新鲜事物都有要去接触、去研究的好奇和冲动。幼儿的另一个特点是注意力持续时间短，当注意力已经分散时，想要让他们记住一些生疏的东西就很困难了。

因此，要达到教会孩子识字的目的，采用的方法就必须是“在游戏中学”，才能够调动他们的积极性，提高和延长他们的兴趣，取得预期的效果。

当孩子学习识字到达一定阶段时，便会进入“识字敏感”期。这时的孩子变得很喜欢识字，每次的识字量也会增多，说明孩子已经养成了识字的习惯。到达这个时期后，孩子识字会显得非常轻松，这时的学习方式可以慢慢变为一般的教与学。但是，在没有到达“识字敏感”期之前，一定要坚持游戏识字的原则。

② 逐渐形成定时、定点、定人、定方法的识字习惯

教孩子识字时，要有意识地尽量做到固定在一定的时间、一定的地方，由孩子喜欢的人来教，并逐渐摸索寻找到孩子喜爱的方法来学习识字。

在刚刚开始时，可能还不能形成一种较为固定的方式。但是家长要有意地营造一种氛围，一种既能引起孩子的兴趣，又能逐渐形成习惯的氛围。

比如，我在开始教我女儿识字时，就采取一种情境教学的方法。我们先把家里所有的小凳子、小椅子一排排地摆好，再把布娃娃、玩具动物等一一坐在凳子上。这就

是教室。

之后，拿一个小铃，一边摇，一边喊："上课了！上课了。"女儿很快就坐到椅子上，而且她还是"班长"。我，则是"老师"。我就像真的上课一样地讲了起来，而且还时不时地问那些娃娃，哪个字读什么。当然，娃娃们回答不出都是由女儿回答。于是我就在批评娃娃们不努力学习声中，表扬了"班长"。

复习时，我又往往成了"学生"，而女儿，则是"老师"。我这个"笨学生"回答老师的提问时经常说错。于是招来老师的一顿批评，并成为告诫娃娃们不能学习的"坏孩子"。

在这样的情景教学中，女儿快乐至极。每天一到时间，她自己就会把椅子和娃娃摆好，然后急匆匆地催我："快上课吧！"

就这样形成了定点、定人、定时间学习的良好习惯。当孩子逐渐适应后，便会很快进入"识字敏感"。

3 教字必须要用标准的普通话

因为孩子有"先入为主"的特点，如果第一次教得不准确，纠正时很费劲。

4 不要就字论字，要教出趣味来

教孩子识字时，不能只是告诉孩子这个字念什么，而应尽量让孩子觉得汉字原来是个很有趣味的东西，才能引发孩子的学习热情。这就要采用形象、比喻的方法教学。

举一例说明：我们教"哭"字时，先问孩子："人在哭的时候，眼睛里会流出什么东西来呀？"

经启发，孩子会回答："眼泪。"

"好，你看这个字上面的两个方框，像不像两只眼睛？有一只眼睛下面还有一滴眼泪。像吗？你猜这个字念什么呀？对了，它就念'哭'"。

这样的字很多。如：流着两行鼻涕的就是"鼻"；树干旁落下一片叶子的就是"叶"；方石头上长着草的就是"石"；鱼跳出了水面的就是"鱼"……

5 识字时要调动孩子进行思考

教孩子识字时，不能只是灌输式地告诉孩子这个字念什么，而应尽量调动孩子的思维，使他们和老师一起思考。教学最好的效果是老师和学生一起思考，而不是老师讲述，学生倾听。

为了启发孩子理解某个字意，更要注重采取互动讨论式教学，让孩子的思想跟上老师的思维，一起来思考，这样才能收到更好的效果。

举一例说明：在教"飞"字时，就可以和孩子进行讨论："鸟在天上干什么？

飞。我们要去很远很远的地方，乘什么交通工具去最快？飞机。在宇宙里坐的是什么船？宇宙飞船。这个字就是‘飞’。（拿出“飞”字的卡片），你看，这个字像不像一只飞着的鸟，有尾巴，还有两只翅膀。这就是飞机、宇宙飞船的‘飞’字。你还知道哪些用‘飞’组成的词吗？”就在这样的启发方法下，孩子就有可能说出“飞鸟，飞行，飞快”等词语。

❻ 解释字意的话语不要太多，以简明为要

记得我在教两岁女儿认“土”时，告诉她：“这是‘不要坐在地上，地上有土’的‘土’字。”以后在复习时，几次问她，她都回答：“不要坐在地上，地上有土’的‘土’字”。后来，在教其他的孩子“妈”字时，我们告诉孩子：“这是妈妈的‘妈’。”已经够简单的了，可是孩子在回答这个字时，仍然是异口同声地回答：“妈妈的‘妈’。”因此，我们了解了幼儿的一个共同特性：他们还不明白一句话中什么是核心，于是只能照着重复。

老师家长教孩子识字时，不要用太多解释的话。如教“打”字，就告诉他念“打”，做个“打”的手势即可，不必说“打人的打”。否则他很长时期都会看着“打”字说：“打人的打”。对于越小的孩子越应该简单明了。

❼ 先教有具体意义的字，后教字意抽象的字

有具体字意的字孩子看得见、摸得着、一听就能够在脑海中出现这个字的形象，如：“妈、爸、花、草、大、小、狗、猫、红、黄”等，应该先教。而孩子不能理解或者还接触不到的就是抽象的字，如：“是、了、的、得、就、都、幸福、电波、成绩”等，这些字中，除了需要在句子中作为连词的字，如：“是、了、的、得、就、都”等要早教之外，其他的都要放在后面教。因为孩子尚无此种体会和经验，很难记得牢靠。

❽ 注重用鼓励、肯定的方法激发孩子学习的上进心

激发孩子学习上进心的方法有：制作表格记载他们学习的成绩；发给红花、小礼物等作为奖励；也可以在每学会一百字时，在墙上贴一朵花，这样孩子就可以自己去数花的个数，知道已经学会了多少汉字，从而激起他的上进心；还可以在孩子学会多少字后就照一张照片作为纪念等。

❾ 识字时，要密切注意孩子的眼神

有的家长教孩子认字时，只是一味地告诉他这个字怎么读，而没有去注意孩子的眼神。幼儿的眼神看到哪里，他们一般就注意那里。识字时，只要目光集中，几秒钟就可以记住。当他们的眼神已经分散时，就一定要结束，万不可强求。因为在这种情

况下，效果很差。如果长期在精神不集中的情况下学习，孩子很容易养成注意力分散的坏习惯，甚至会影响以后在学校里的正规学习。

⑩ 认字的同时，最好让孩子读出声音来

除了还不会讲话的孩子外，教认字时，一定要孩子读出声音来。因为调动更多的感官同时进行学习，会收到更好的效果。让孩子读出声音，能够更牢固地帮助记忆。

⑪ 每次识字，最好要在孩子兴趣最高时结束

因为当孩子兴趣很高，还要求认字时，我们主动让他停止，并且表扬他的这种积极性。那么，下一次学习时，他便会回忆起识字时高兴的心情和感受，于是，学习会非常快乐和轻松。如果我们总是在孩子已经感到厌倦时停止学习，下一次学习开始时，孩子心中的感受就是不愉快，长久下去，孩子的积极性会下降，甚至会拒绝学。

⑫ 尽早进入阅读

如果对孩子的教学仅仅停留在识字上，虽然也能学会很多汉字，但很难提起他们的兴趣和求知欲。我曾见到几个识了一两千字的孩子，对于认字并没积极性。因为他们见到的只是枯燥的方块字，并不解其意。这样下去，要使孩子进入自觉学习的状态是很困难的。只有尽快进入阅读，让孩子感到汉字能够组织动听的故事时，他们才会主动自觉地学习。

如：有一个两岁九个月的小朋友，已经认识了一千多字，但是家长没有引导他进行阅读，所以，识字的积极性不高。进入“壹嘉伊”学习后，采用了我们编写的教材，一个多月就进入了良好的状态，每天乞求着要念书。念书已经成为奖励的最佳手段。

⑬ 重视“三岁波折”

幼儿三岁之前，还没有形成自我意识，属于硬灌期。这时无论怎样教，都很容易接受。但是当孩子自我意识出现时，一般都会有反常的行为。如果教孩子识字，他们有明显的抗拒表现，就要改变方法，万不可焦躁，焦躁更容易伤害孩子的学习积极性。必要时，应停止识字，用游戏的方法提起孩子的兴趣，再慢慢恢复学习汉字。

我的女儿在刚进入三岁时就很明显地开始反抗，从原来追着我，主动要求学习，变为一听“学习”就逃避的状态。这以后，我用了半年的时间，每天晚上和她做各种开发智力的游戏，把她的学习积极性逐渐调动起来，再有意识地将识字慢慢融入其中，才纠正过来。

为了避免这种情况的发生，在孩子接近三岁时，就要逐步改变学习方法，多引用游戏，让孩子平安度过逆反期。

⑭ 对于始终对文字不感兴趣的孩子，不可勉强

也有不少孩子，由于各种各样的原因，始终对认字不感兴趣。对于这样的孩子，家长千万不可以急躁，不能勉强。应引导他们进行其他智力开发的训练，慢慢形成学习的习惯后，再试着学习识字。

如果还是不能进行，就应该等待他们上学之后，再在学校中进入识字学习。勉强逼迫，会挫伤学习积极性，产生厌学情绪，甚至影响上学后的正常学习。

三 效果极佳的早期识字的方法种种

早期识字的方法多种多样、因人而异。每个孩子的个体差别很大，我们总结的只是一般规律，而且也难以按年龄来划分识字的方法。

在本书里，我们以能否讲话为界，即尚不能运用发音器官参与学习的还不会讲话的孩子和已经能够讲话的孩子两种情况来介绍。

对于低龄婴幼儿，因为尚不具备对物品的认识能力和对于词语的理解能力。所以，对他们的识字教育，就只能利用他们的机械记忆，限于认字和读音，很难做词语的解释。待汉字积累到一定量时，他们也慢慢长大，那时再进行词语的学习也会很快。低龄幼儿所要学识的汉字，可以按《四五快读》的顺序安排，也可以灵活安排。

① 怎样教不会说话的婴儿识字

（1）布置文字环境

在婴儿房间里尽量布置一个文化色彩的环境。如在墙上挂字和画，房间内多放书籍。玩具也要多选择与文字有关的，例如：识字积木、象棋、识字卡片等。让婴儿从接触这个世界起，就在一个文化的氛围内生活，耳濡目染都是字、画。因为孩子不能自己去选择环境，他们都是先入为主地学习他们首先见到的东西，所以这样的环境自然而然就造就了婴儿喜爱学习文字的习惯。

（2）抱着孩子“对牛谈字”

一般人认为给婴儿看带颜色的图画是正确的，而教他们认字则是不符合儿童生理和心理发育的，这种看法其实不对。实际上，无论是带颜色的图画还是白纸上的黑字，在婴儿的眼睛里都是图形，他们还没有形成能够分辨这是画而那是字的能力。这时，他们对一切未知的东西都像海绵吸水一样地接收进大脑，这些图形只要经过不断地重复，便会牢牢地记在脑子里，成为自己的东西。所以，给婴儿看图画或文字实际上效果是一样的。既然如此，我们为何不利用婴儿“头脑是一张白纸”的有利条件，

让它尽早地刻印上以后要费力才能学会的汉字呢？

此外，婴儿在这个时候毫无独立意识，他们还没有形成“这个东西好，那个东西不好”的分别意识，只要我们教，他们就会去接受。所以，这个时候是一生中最好的教育时期，称为“硬灌期”或“模式期”。

在这个时期，我们对孩子讲这、讲那，他们往往看似没有反应，也不会说话。但不要紧，只要不厌其烦地一直讲，不断地给他看，总有一天，你会惊喜地发现，这些内容已经刻印在孩子小小的脑子里了。这样的例子多得不胜枚举：你常带着孩子去打麻将，他很快便会认识麻将牌；你常和他一起玩扑克牌，他很快便也会认识扑克牌。那我们为什么要浪费婴儿宝贵的时间，不去教对他有用的、会影响他们一生的东西呢？有识之士应该抓紧这人生中最宝贵的黄金时段，来进行文字的教育。

具体做法其实很简单，只要准备两套汉字卡片：一套较大的汉字卡片贴在墙壁上，再有一套不怕撕和咬的，作为孩子的玩具。家长先要定好学习的是哪几个汉字，一次选5～6个字，两套要统一。之后每天都抱着婴儿，隔上一段时间就指着墙上的字，对他念上几遍，孩子玩字卡时，也要把他拿的那个字念上几遍，念字的顺序每次要改变，大约10次后，字的形状就被婴儿记住了。

（3）给婴儿念书

把婴儿抱在腿上，脸朝前，对着所要读的书。一边大声地、带着抑扬顿挫的声调读，一边用手指着所读的字，速度要慢。每天都读同一个故事，坚持一段时间后，再换另一个故事。故事的篇数不可太多，要不断反复地交换。

有一位外婆，就是不断抱着她三个月的外孙女，指着书上的字一个一个地读。没想到，这个婴儿很快就认识了书中的字，并进入良性的识字学习中。

也可以对婴儿念一首很上口的儿歌，先不断地对着孩子念，感到孩子已经听熟时，将儿歌写出来，一个字一个字指着对孩子念。同样可以起到教字的作用。

（4）当发现婴儿已会认几个字时，要大力加以鼓励

例如：当我们对着墙上的某字读出音时，孩子的眼神便注视所读的字；或者我们说某个字，孩子会爬过去找出来时，即表示他已经认识这个字了，此时，我们一定要鼓励他的行为，如亲吻、抱着举高等孩子喜欢的动作，让孩子明白他的表现是大人所满意的，孩子就会更积极地认字。

有个一岁半的女孩，还不会讲话时，居然认识了1500个汉字。面对专家的考察，她能够将专家说的字，从一大堆汉字卡片里寻找出来。这个婴儿的家长说，他们就是不断地用肢体语言对孩子进行鼓励和赞扬，小小的她居然有如此惊人的表现。

（5）更换新字，进行复习

对于已能识字的婴儿，同样存在更换新字和进行复习的问题。没有必要进行很正规的复习，只要按照“艾滨浩斯遗忘曲线”（后面会谈到）来进行，就能够收到复习的效果。

（6）婴儿对汉字不感兴趣，家长不要灰心、也不要放弃

有的孩子在经过一段学习后还不能认记，也不必着急，更不能因灰心而放弃。因为孩子有着千差万别的特点,这种情况下，只要使他对文字有印象，并且能对文字产生喜爱的心情即可。坚持下去，总有一天，你会惊喜地发现他突然认识了许多汉字。

有一个孩子三个月时，大人开始把20几个大字挂在墙壁上，指给他看，读给他听，六个月时对他说某个字，他的眼神能够追随这个字，说明孩子已经认识这几个汉字了。但是后来，孩子对识字没有了兴趣，大人就没有再教他认识更多的字。没想到，孩子一岁时，居然能够把报纸上他曾认识的字，一个个指出来。比如，把报纸上所有的“人”字都找出来，把所有的“大”字都找出来。

这件事，给了我一个启示：教孩子识字，实际上是对家长的考验，你是否有持之以恒的决心和耐心，是否有科学的方法。如果两者兼有，那么无论如何去做，你的孩子都能够成为早读的孩子。

❷ 怎样教正在学讲话的婴儿和已会讲话的婴幼儿识字

（1）可以先选与他学会说的字、词同步教

如孩子会叫“妈妈”时，就把“妈”字指给他看，并且告诉他，这个就是“妈”字。

（2）选择字形上能引起兴趣的字教

如：人、木、火、水、上、下、哭、笑等，这些都是可以用形象表现的字。

（3）选择可以用动作或表情表演的字教

如：哈、爬、跑、跳、滚、唱等，可以用动作表演的字。

（4）选择孩子喜爱的事物的字教

如：他所喜爱的人：爸、妈、奶、爷、姐、哥、弟、妹等；他所喜爱的朋友：小明、小狗、小猫等；他所喜爱的玩具：娃、汽车、枪；他所喜欢的食品：西瓜、牛奶、蛋糕等。

（5）选择与孩子密切接触的环境中物品的字教

如：室内物品：家具、电器、物品颜色等；室外物品：树、花、草、石、山、土等。

（6）在讲故事中教字

当讲一个故事时，预先准备好故事中主人公名字的字卡及故事中所要出现的事、物名称的字卡等，边讲边出示这些字卡。

（7）情境识字

布置一个孩子喜欢的环境，如前面提到过的：成人、孩子和玩具娃娃，组成师生。再用小黑板、椅子等，模拟出一个教室的情景。成人和孩子轮流当老师，而当学生的人就要代替那些不能说话的娃娃回答。成人要有意识地出现错误，孩子则会很热烈地配合你去纠正。再如：布置一个小菜场，摆上一些真正的蔬菜或画片，再在旁边摆上相应的字卡，成人带着孩子边买边学，也是很有情趣的。

（8）选择孩子经常爱唱的儿歌中的字教

寻找这些儿歌中比较直观的字来教。

（9）对于一些形状接近的容易混淆的字，有时要编一些儿歌加深记忆

如：田、由、甲、电、申非常接近。就可以编道："由字出头，甲字伸腿，电字翘尾巴，申字出头又伸腿，田字没头又没尾。"又如：马、鸟、乌也是形状很接近的字，也可以编道："马没耳朵，乌鸦没有眼，长着耳朵的小鸟睁大了眼。"还有：直、具、真，也可以编为："有头是直，有脚是具，有头有脚才是真。"

（10）选择无图的单色识字卡片

选择识字卡片，不要用图文并茂的字卡，要用白纸黑字、不带彩色图案的无图识字卡。因为，孩子对色彩很敏感，往往注意并记住的是卡上彩色的图，而不是文字，所以要选用无图字卡。见过一些识字教材，孩子认读的卡片"妈"字旁画了一个妈妈的图画，孩子看到妈妈的画，立刻就读出"妈"。但是如果我们拿出一张没有画的"妈"字卡片给孩子去认，这个孩子就迟迟疑疑地念不出来。因此只有使用无图识字卡，让孩子把汉字的形象印记在脑海中，这才是真正地识记了汉字。

另外，还要根据孩子的年龄选择字卡，因为视力在发育中，所以，越小的孩子字卡越要大。

（11）字卡不宜贴在物品上

有些家长仿照成年人学习英语单词的方法，将识字卡片贴在相应的物品上。如：将"窗"贴在窗子上，"门"贴在门上，这种方法不好。成年人已经认识了英文字母，所以在某种物品面前，能够看着字母进行拼读，很自然的，就记住了单词的读法。但是，初涉识字领域的幼儿，记忆汉字完全依靠形象记忆，如果把字卡贴在物品上，很容易形成位置记忆。当把字卡调换之后，孩子往往依然将贴在窗户上的字读作“窗”，贴在门上的字读作“门”。拿下字卡后，他们也认不准哪个字是“窗”，哪个字是“门”。所以，真正让孩子从字形上去认记汉字，很重要。

（12）不必从笔画少的字教起

一般人认为教孩子认字，从笔画少的教起是正确的，其实不然。笔画繁多的字，孩子往往记得更快，更牢。因为在孩子的眼中，无所谓简单还是复杂，字都是一个图形而已。往往简单的字还容易混淆，如“三”和“川”，究竟是横看还是竖看，反而会使他们糊涂。而一个复杂的字，如“藏”字，如果家长指着“藏”字中间的“臣”告诉他：“这个字的中间藏了一个官，你看他是不是藏得很好啊？”这样形象的解释，在孩子的眼里，这幅复杂的图画是专门藏人的“藏”字，就会印刻在孩子的脑海中，牢牢地记下来。

（13）教字时要教单个字，不要一个词组一起教

不少人教孩子认字，喜欢把一个词组的两个字一起教。这种教法，很容易使孩子混淆。尤其在孩子还没有形成“识字敏感”之前。

例如“朋友”两字一起教，他很难分清究竟哪个是“朋”，哪个是“友”。所以，在教字时，要有意识地将词组的字分开两次教。如：这次教“朋、宝、孩”，下次就教“友、贝、子”。当然，在孩子对识字感兴趣，并且对识字也有了自己的记忆方法之后，词组放在一起教，是可以收到理想效果的。

（14）形状相近的字不要一起教

如：“乌、鸟、马”，“甲、由、田、申”等字的形状很接近，一定要分开比较长的时间去教。而且，教的时候要很清楚地告诉孩子，它们之间的区别。

（15）多音字先教多用字

汉字中有很多字有两种读音，甚至多种读音。像“漂”字就有三种读音。

教多音字时，先要分清这个字有几种读音，这几种读音中，只有一种读音用得多，还是几种读音都用得多。

对于有一种读音用得多的字，一定要先教用得多的一种。例如“好”，用得多的是第三声，好孩子的“好”，就教孩子读第三声。等孩子发现了有不同，自己来问：“为什么爱好，就不读爱好（第三声）”时，再告诉他，在不同的词组里，会有不同的读音。

如果两种音都是多用的，就先告诉他一种。例如：“长”，先告诉他，这是长，长短的长。待他自己发现另外还读长大的“长”时，就一定会来问你为什么？这时，你再告诉他，有两种读音。

这种经过了自己的思考，产生了疑问后，再得到正确答案的学习方法，会让孩子记得很牢固。如若我们先就告诉他有两种读法，什么地方读什么，这种灌输式教学，不能调动孩子内在主动的学习热情，记忆的效果不如前一种好。

（16）识字时间由短到长，识字量由少到多

一般学习识字的时间，开始时，都不宜太长，几分钟而已。只要孩子的眼神能够集中几秒钟，十几秒钟就可以了。识字量开始时不宜多，一两个字即可。但是应每天都有识字这项，逐渐积累。待孩子对识字有了兴趣，再逐渐延长时间和增多识字量。具体时间和数量要看孩子的具体表现而定，不能强求一致。

（17）识字量还不够多时，不要解释汉字部首的意思

待识字量达到四五百字时，再去启发孩子认识部首，最好引导他自己去寻找规律。

（18）掌握科学的复习方法

幼儿的特点是认记快，忘记也快，所以必须要进行复习，方可巩固。按照科学的方法复习，既能巩固所学的字，也不会打击孩子的积极性。后面会详细介绍。

（19）选择学习识字的时间

实验证明，晚上要比早上学习记忆效果好。如果一个人早上学习生字，到第二天再去问他，会遗忘 90%；而在晚上学习，第二天问他，遗忘的是40%。因为一个人从早上认了字以后，经过一整天各种各样的活动，很容易将脑袋里记忆过的字忘掉；而晚上学习以后，进入睡眠，遗忘的自然就少。

（20）选择学习识字的时机

教孩子识字，并不需要很长的时间，生活中随时都可以，但一定要孩子愿意并能静下心来，哪怕几分钟都能学几个字。如果孩子心不在焉时，不要勉强。

在孩子将要做他们喜欢做的事情之前，一般都情绪高涨、快乐，例如看见妈妈下班回来时，孩子要和妈妈出去散步时，孩子快要看电视时，这些都是孩子们快乐的时候。我们要巧妙地抓住这些事情进行之前，让孩子静下心去识几个字。

例如：有的孩子看见妈妈回来很高兴，很希望妈妈抱他、亲吻他。妈妈就应该抓紧这个时间，要孩子学会两个字之后，再抱和亲吻他。又有的孩子每天都在等待晚饭后的散步，妈妈就应该抓紧散步之前的时间，让孩子学习几个汉字。还有的孩子盯上了卡通节目时间，同样，妈妈也要抓紧卡通片开始之前，让孩子学会该学习的汉字。

因为这时孩子最渴望去做他们喜爱的事情，所以对家长的要求一般都会很快地完成。就这样慢慢形成识字习惯后，识字的效率便会很快提高。

（21）拓展识字

当孩子掌握的字已经达到500以上，就可以用形声字、同偏旁字和按归类识字的方法来进行拓展识字（本套书第七册为总复习及“拓字”册，有“字族字”教学）。

例如：“青”字学会以后，就可以教给孩子形声字清、情、请、晴、鲭、蜻；以及稍变一点音的精、静、睛、婧等。

又如：同偏旁的属于同一类物品或同一种性质的字可以一起教。如：柳、松、桃、桔、梨、桌、椅、床、柜等；又如：打、拉、推、拔、抓、握、提、拍等。

又如：按归类物品教。像水果类就可以一起教，苹果、香蕉、西瓜等；蔬菜同样，像白菜、萝卜、土豆等。

到了这个阶段，学字可以说已经是非常轻松而且快捷了。

四 及时复习巩固识字成果，识字复习要注意方法

幼儿学习的最大特点是记忆快，忘记也快。因为人脑的记忆是要在神经纤维的末端形成一个神经结（即突触），而神经结由形成到牢固有一个巩固的时期。例如：我们记忆了一个字，形成了一个神经结，但是没有去复习巩固它，这个神经结便会消失，这个字也就忘记了。记忆对于婴幼儿来说，往往需要有七八次重复记忆的过程，才能够形成牢固的神经结。但是婴幼儿对于学习过的汉字是不愿意常常去重复的，他们喜欢新鲜的东西。因此教过婴幼儿识字的有体会的人，都感到复习旧字比教新字要困难得多。

不过，如果我们能掌握遗忘规律、并且能熟练地运用，复习也并不是很困难的。遗忘规律（即艾滨浩斯遗忘曲线）记载一个人记忆和遗忘的时间规律：一般的说，人们识记某个字、词后，能够持续到第一次遗忘的时间比较短。如果在第一次记忆刚要消失时就能重复它，便又会再次记忆下来；而第二次记忆从持续到要消失的时间要比第一次长些，待第二次记忆又要消失时，我们能再次重复它，这个记忆就再一次巩固；而第三次遗忘的时间又会比第二次还长……就这样，按照遗忘规律的间隔时间，去复习我们需要记忆的东西，其结果是既可省时，又可以牢牢地记住需要记忆的知识。

如果把这个规律应用到幼儿识字的复习上，经过科学的复习，可以将已学的汉字巩固下来。

应用的方法是：星期一晚上学过的汉字，星期二一定要复习两遍，星期三早上再复习一遍，再下一次的时间就要到星期四的晚上，然后星期日早上再复习，以后再

隔五天、再隔十天。经过这几次的复习，孩子一般是可以牢记住了，也就是说神经结已经长牢了。但这个规律也不是每一个孩子都一样，有待于每一位细心的家长去观察自己的孩子，掌握了他的遗忘规律后，再依法施行，是一定会收到效果的。

这种要经过7~8次复习，才能够牢固记忆下来的方法，听起来简单，做的时候，需要家长有心、细致、耐心地操作才行。

家长可以准备七八个盒子，将需要复习的字卡，按照第一次、第二次、第三次……的顺序放入其中。每复习一个字，就依次移到下一个盒子里，这样，就不会混乱，每个字都会进行八次复习。当字卡从第八个盒子拿出来时，即表示这个汉字已经记住。短期内不必再去复习，只要等到大复习时，再拿出来进行即可。

多数家长不了解遗忘规律，只是一味地给孩子复习。结果，孩子早就掌握了的汉字，还不断地让他们认读，孩子就会产生强烈的抵触心理，而拒绝认读。甚至不愿再与家长配合进行识字，致使识字半途而废。很多孩子就是在认识了一百多汉字后，因复习不得法而终止，这实在是很遗憾的事情。

❶ 平时复习汉字的游戏

除了掌握遗忘规律，按科学的方法来复习外，另一个重要的方法，就是灵活运用游戏的方法进行复习。

下面介绍一些平时进行复习的游戏，以供参考。

（1）“我认识你！”

在书上、电视上、物品广告上、报纸上或糖纸、食品袋上见到孩子认识的字，就要引导他来认读。因为这样的复习很随机，一般孩子都不会感到厌倦。

（2）“过门关”

将字卡贴在门上，进门时不把字念完，就不能进房间。在孩子迫切要进屋的心情下，他们一般都会很快地认读完。这种复习适合第二天的少量字的复习。

（3）“捉迷藏”

成人和孩子捉迷藏，具体躲藏的不是人，而是字卡。我们先把字卡藏起，但是注意不要藏得太严密，不好找的就要有意识地露出一个小角，之后让孩子去找。找到后，还要念得出来，才算真正找到。这个游戏也可让孩子来藏字卡，成人去找，而且成人也是要有意地出错，以便引起孩子的兴趣。

（4）“挖宝藏”

将字卡埋在沙子里，挖出一个就要念一个。这很容易引起孩子的兴趣。

（5）“吹大风”

将字卡翻过来放，之后用嘴去吹，吹翻一个念一个。孩子也很喜欢这样的游戏。

（6）“买菜”

将字卡放在桌子上或地上，成人和孩子一起拿着一个篮子去买菜（菜就是字卡），一边买，一边认，不认识就买不到。就这样，一直把需要认的字都买回来为止。

（7）“障碍赛跑”

散步时可以做这种游戏。成人先在必经之路上，隔一段用粉笔写一个字，待孩子经过时，必须先读出这个字，方可再往前走。就这样，边散步边就将汉字复习了。

（8）“组词游戏”

有意识地将一些可以组成词组的汉字放在一起，让孩子去组词。如果他不记得这些字时，成人可提出让他组一个什么词，如“唱歌”两个字，孩子不记得，大人可请他组“唱歌”词组，只要孩子能够找到“唱歌”二字，也可说明他已认记了。同样也可做“组句游戏”。

（9）“归类游戏”

成人有意识地将几种同类的汉字，如：苹果、橘子、香蕉、西瓜等组成水果的汉字和眼、耳、鼻、舌、口等表示身体部位的字放在一起，之后让孩子找：哪些字是水果呀、哪些字是我们身上有的呀？这样既复习了汉字，也训练了孩子归类的思维能力。

（10）“多出了谁？”

家长手中拿2~3张字卡，孩子认识后，让他闭上眼睛，家长再添上一张，让孩子睁开眼睛，问多出了谁。

（11）“我表演的是什么？”

复习有动作的字时，如走、跑、跳、笑、哭等，用动作或表情，请孩子找出相应的字卡，或家长出示字卡，让孩子做动作。

（12）“摸字”

将字卡贴在墙上，家长和孩子一起念：“我家宝宝来来来，我们一起猜一猜。摸摸这儿，摸摸那儿，摸摸某字就回来。”之后，让孩子将相应的字摸一下，或家长拿着字卡，请孩子上前将某字摸一摸。

（13）“再见，字宝宝。”

当认字结束时，家长指着桌子上的汉字或黑板上的字，对孩子说：“字宝宝要回家了，要睡觉了，请宝宝对它说再见。”就指一个字，说一声“再见”，拿掉或擦去一个，直到每个字认完为止。

（14）“走掉了谁？”

请孩子闭上眼睛，家长拿走一个字卡或擦掉黑板上的一个字，再请孩子睁开眼睛回答，问哪个字没了？这个方法除进行了复习外，还训练了记忆力。

（15）“跳字块”

在地上用粉笔画上几个大圈，每一个圈中写一个字，然后让孩子一边往字圈里跳，一边认读圈中的这个字。

（16）“读新报”

和孩子一起从报纸或画报上找已经认识的字剪下来，将它们贴在一张纸上，可以组词，也可组句去贴。因为这些字已经变换了一个形状，在孩子的心中，就会有一种新的感觉，为此，他们也会高兴地进行复习。动手剪也有趣，孩子爱做。

（17）“击鼓认字”

将应复习的字卡翻过来围成一个圆圈，孩子用小棍点着字卡移动。家长则用手打击桌子，当打击突然停止时，小棍停在哪个字卡上，就翻过该字卡并说出是什么字。

（18）“点老五”

将应该复习的字卡翻过来围成一个圆圈，孩子用小棍指着字卡移动，一边念着：“点一、点二、点三、点四、点到老五就是他。”就将点到的字卡翻过来认。

❷ 进行大量复习的游戏

当学完一百字、二百字……甚至一千字时，都要系统地复习一遍。这时，因为要复习的汉字量很大，就不要再学习新的汉字。复习可酌情分几天来进行。复习前，要先对孩子进行鼓励、表扬，告诉他已经学会多少汉字了。但是还需要巩固一下，复习一遍。这样做，是要提起孩子的有意注意，调动主观能动性，来和成人配合。这时复习的灵活性和游戏性更要增强，而且要尽量地提高效率。为了避免孩子产生厌倦情绪，可以把复习和游戏穿插进行，即复习部分汉字之后，进行一些游戏；之后再进行复习。

下面，介绍一些适用于大量复习采用的游戏方法：

（1）将已经学过的字贴在墙上

在孩子来来往往经过时，就可以顺便复习了。不过要注意，已巩固的字一定要定期更换，以免孩子厌倦。

（2）“汽车运货”。

将字卡放在玩具汽车上，从一个地方运到另一个地方，比如：“汽车从长沙开到北京了，要卸货了。”这时，要孩子一边念字，一边往下拿已念的字卡。卸完了，也就复习完了。

（3）“开火车”

将字卡排成长长的几列，对孩子说，每一排就是一节火车厢，认完一列，就开走一列。我们尽快地把它们全都开走，好吗？就这样，一列列很快地认读完。

（4）“看展览”。

将字卡围成一个大圆圈，留一个口。成人和孩子一起从口子进入，顺着假想的展览馆的墙壁边走边读，都读过了，就算看完展览了。

以上方法只是抛砖引玉，实际上，还需要家长们按照自己家中的具体情况，设计各种各样的游戏。有一位家长，发现孩子每天只有在大便坐盆时最安静，于是趁他坐在便盆上时，就在地上写出应该复习的汉字，认好一个用拖布擦掉一个，直到全部复习完。这个孩子很快习惯了这种方法，认字和复习的速度大大加快。这个例子说明只要家长有心，就可以想出各种各样的识字方法和复习方法。

实际应用中，不一定要常常改变方法。只要孩子适应了某种方法，就可以一直用下去。只是在孩子厌倦了某种方法之后，再换另一种，使其有新鲜感，有乐趣，快乐地进行复习，这样才能收到好的效果。尤其是复习的汉字量较大时，更应注意方法。

五 尽快进入阅读是提高识字兴趣的重要手段

1 亲子朗读，激发孩子的阅读兴趣

为了使孩子对阅读产生兴趣，给婴幼儿朗读是非常重要的。家长每天都要在一定的时候，用一定的时间给孩子朗读故事，至少要用20分钟。注意，一定要家人为他读，而且要努力做到声情并茂、抑扬顿挫。朗读对于孩子来说，主要是集中了他的听觉注意力，展开了幻想的空间。喜欢听朗读的孩子一般都能够安静地倾听，注意力集中，想象力丰富。对孩子将来的阅读和学习都大有裨益。

很多家长认为，现代人这么忙，哪里有时间给孩子读书？但是要知道，磁带代替不了亲情；而五彩缤纷的VCD图像，会将孩子的感知器官全部调动起来，最吸引他们注意的是那些活动的彩色画面。于是他们内心的思考能力，对于词汇、句式、语法的理解、记忆便都大减，特别是失去了想象的空间。所以，现代人从看电视中教育孩子和从电视中获取信息的不良趋向，必将影响下一代的智力和能力的开发。

为了孩子的未来，请每天挤出20分钟的时间来为他朗读，那么，在不知不觉中，您的孩子会对阅读产生浓厚的兴趣，朗读是孩子阅读兴趣的催化剂。

② 让孩子体味阅读的乐趣

教孩子识字既要掌握前面介绍的识字原则和方法。也要明白识字的另一个重要原则就是要尽快进入阅读，让孩子体味阅读的乐趣。

阅读对于学习识字的幼儿非常重要，只有进入了阅读，才能体现识字的意义和重要性。有的家长不懂得将孩子引入阅读的重要性，只是一味地让他识字，结果孩子被这种无休止的、又感觉无意义的学习搞得厌倦，而产生抗拒，导致厌学。

一个汉字，有的有意义，有的则无意义。但是它们组合起来就有了具体的意义，而这个组合又不能随意而行。如：“太”和“阳”组成“太阳”，就有意义；但倒过来的“阳太”就没有意义。

当幼儿认读一个个汉字时，如果只是机械地认读，便很难引起兴趣和提起积极性。但是当我们将他们已会认读的一些字有序地排列起来，成为一个词或是一句话时，他的兴趣就会提高。

例如：当孩子读出“太阳”，在他的脑海里，就会出现太阳的图像；当孩子读出一句“宝宝是个好孩子”，会很快乐，并且顿时会有一种“豁然开朗”之感：“原来，这些字组合起来，是这样有意思的呀！”于是他们爱读了，爱认字了。记得有一个五岁孩子，正在发脾气时，老师给了他几张字卡。当他把老师给他的字卡摆出：“我是一个不爱生气的好孩子。”时，他不好意思地笑了，不愉快的情绪也随之烟消云散。

③ 如何引导孩子进入阅读

如何使孩子在认识若干汉字后，就能够并且有兴趣去看书，而且能懂得其中的意思呢？

● 阅读应该是在积累了一定量的汉字后，由逐渐认识并记忆词语，再进入短句、长句的阅读；在能够理解的基础上，再逐步进入阅读短文，直至故事、文章。

选择识字阅读课本是非常重要的事情。好的、适合幼儿心理的、充满儿童情趣的、由浅入深的、循序渐进的识字阅读课本不多。如果选择不当，就难以引起孩子阅读的兴趣，难以进入阅读。

● 学习完这套书后，为了巩固提高孩子的阅读识字能力，我们以本套识字读本所识汉字为基础，汇编了《四五快读故事集》。《四五快读故事集》共有50个小故事，前8个故事没加一个新汉字，从第9个故事开始加新汉字，用红色标注。家长让孩子先自己连蒙带猜地读故事，之后教他生字的正确读音，这一过程，孩子的自学能力逐渐提高，读完《四五快读故事集》可学会273个新字，阅读能力也大大前进了一步。

● 在学习完这套书以后，家长还可以给孩子选其他适当的儿童读物和故事书来读。

在刚开始阅读买来的儿童读物时，可能还会有较多的字不认识，您可以采用以下几种方法来引导他们：

① 让他自己先去试着读，有不认识的字，自己做出记号。待父母有时间时，再告诉他这些不认识字的读音和意思。但在这之前，要让孩子试着猜一猜故事是什么意思。若孩子能够说出大概意思时，要大加赞扬，以鼓励他自己连蒙带猜地读书，这也是一种成就和快乐。

② 家长先给孩子读一遍，之后，再让他（她）按记忆连蒙带猜地读，逐渐地就会自己认识很多字。在家长的鼓励下，他（她）就会自己主动地囫囵吞枣地读书，久而久之，就可以走上自学的道路。

③ 先一段一段地读，读了以后，让孩子说出这一段的意思。逐渐地也会激发起孩子阅读的兴趣。

如前所述，在学习识字阅读中，随着孩子对文字理解力的提高，他的语言逻辑和思维能力会随之提高，这对他以后，不论是语言表达，作文，还是理解算术应用题，广泛阅读文学作品和各种资讯，都会有事半功倍的效果。

在孩子逐渐习惯阅读，喜爱阅读之后，当他想知道世界上更多的事情时，会主动来问你：看什么书可以知道这些事情？看书遇到不认识的字时，会跑来问你：这个字怎么读？我怎么能更快地认更多的字？到这时，可以说这个孩子能够放心了，他已经开始走上一条热爱阅读的路了。

人　口　大　中

小　哭　笑　一

上　下　爸　妈

天　太　月　二

宝宝读词语

大人　小人

大哭　大笑

大口　小口

提示

学习每一个字时，用该汉字的卡片，配合语言、手势进行教授；要不断采用启发问答式对话，以便引起孩子的注意和兴趣，主动学习；要把汉字卡片举到孩子面前，密切注意孩子的眼神，一定要让孩子注视字卡几秒钟才有效果；每次学习汉字的数目要依孩子的具体情况而定，不可强求；孩子不感兴趣时，一定要结束；一定要定时学习、定时复习，以便养成学习的习惯。

学完第一课的16个字后，请宝宝朗读第一课的16个字。第二课以后的课文，均供学完生字后进行朗读、复习用。

宝宝猜词语

汉字教学法

用形象、比喻、诱导、启发式教授汉字

（孩子刚接触汉字时，教学者主要采用形象和比喻的方法，来介绍汉字。）

人：“我们都是人。大人、小朋友都是人。这个字就是‘人’。”家长站立，两臂并拢，两腿叉开：“看我站着的样子，像不像‘人’字？”

口：“我们用什么吃饭？用什么说话？对！用口。”家长张开口：“我把口张大。像我张开口的这个字就是‘口’。”

哭：“宝宝哭的时候，眼睛里会流出什么来？对了！流出眼泪来。”家长指着哭字上面的两个口和一点：“在两只大眼睛下面有一滴眼泪，这个字就是‘哭’。”

笑：“妈妈笑的时候，眉毛弯起来，眼睛变小了。对吗？”家长眯着眼睛微笑，并指着笑字上的竹字头：“弯眉笑眼的这个字就是‘笑’。”

大：“妈妈是大人，比宝宝大得多。这个字就是‘大’。”家长站立，两臂平举，两腿叉开：“看我站着的样子，像不像‘大’字？多么大啊！”

小：“宝宝是小朋友，比妈妈小得多。这个字就是‘小’。”家长站立，两腿并拢，两上臂并拢，小臂外张：“看我站着的样子，有一点像‘小’字吧！”

中：家长在一张纸上画一个长方形，在其中间画一条通贯的直线；“这条线就在中间，对吧？这个字就是‘中’。字的中间有一条线。”家长站立，两臂叉腰：“看我站着的样子，有点像‘中’字吗？”

一：家长用手在“一”字上描横线：“画了一条线的这个字就是‘一’。”

上：家长指着“上”字中的“一”字上面“一竖一横”的部分：“这个东西在一字上面的字，就是‘上’。”

下：家长指着“下”字下面的部分：“这个东西在一字下面的字，就是‘下’。”

爸：“宝宝爱爸爸吗？这个字就是‘爸’。”家长指着‘父’字一撇一捺的下部：“这是爸爸的胡子，这个有胡子的字就是‘爸’。”

妈：“宝宝最爱妈妈吧？”家长指着妈字：“这就是你最爱的‘妈’字。”

天：“‘大’字上加一横，就到天上去了，这个字就是‘天’。”

太：“‘大’字中间加一点，变成了太阳的‘太’字。”

月：家长画一个弯月，指着‘月’字的一撇：“这个字像不像弯弯的月亮？这个字就是‘月’。”

二：家长用手在“二”字上描两横线：“划了两条线的这个字就是‘二’。”

❶先念会6个词语，再在“宝宝猜词语”下面的图画中找寻与词意相应的图。

❷指着每个图问孩子这个图代表的词语。

❸让孩子用汉字卡片摆出每个图的代表词语。

宝宝学生字

地　阳　亮

星　云　火

水　三

爸爸 妈妈 上天

天上 太大 太小

一天 一月 二天

二月 上上 下下

宝宝猜词语

汉字教学法

用形象、比喻、诱导、启发式教授汉字

（初教汉字时，要千方百计地用对话方式将要讲的字，经诱导、启发引出来，最后落点于所要教的字上，再因字采用形象和比喻加深印象。本册主要采用此种教学法。）

地：“妈妈站在哪里呀？对了，站在地上。妈妈把手里的卡片扔到了哪里呀？对了，也在地上，这个字就是‘地’。”

阳：“白天，天上最亮的、圆圆的是什么？对了！是太阳。这个字就是‘阳’。”

亮：“太阳升起时，天就亮了；开灯时，灯就亮了；打开手电筒时，手电筒就亮了。这个字就是‘亮’。”用手指着亮字中“口”四周的笔画：“看，向四周放光的‘亮’。”

星：“晚上，在天上有什么发亮的东西，一闪一闪的？对！是星星。这个字就是‘星’。”用手指着星字上面的“日”：“在最高处的天上发光的星。”

云：“天上飘着的一片片白的是什么？对！是云。”用手指着云字的几条横线：“天上的云是一片片的，这个有很多片的字，就是‘云’。”

火：“妈妈用什么做饭？一划火柴有什么？对了！是火。”用手比划着“火”字：“中间支起了木柴，点着火，两边就出了火苗。这个字就是‘火’。”

水：“我们洗手时，用什么洗？口渴时，喝什么？对了！用水。这个字就是‘水’。”

三：家长用手在“三”字上描三横线：“划了三条线的这个字就是‘三’。”

词语教学法

❶ 先念会11个词语。

❷ 让孩子在“宝宝猜词语”下面的图画中找寻与词语“爸爸、妈妈、太大、太小、天上、上上下下”意义相应的图。

❸ 指着每个图让孩子说出能够代表这个图意义的词语。

❹ 让孩子用汉字卡片摆出每个图的代表词语。

❺ 视孩子的年龄和掌握知识的程度不同而异。对较大的孩子先鼓励他们自己说出比较抽象的“上天、一天、二天、一月、二月”的含义；不懂的，再举例解释（见下条）。

❻ 对较小的孩子，用实物配以讲解，如用：“小鸟飞上天”、“飞机飞上天”来解释“上天”这个词；用“从早上醒来到晚上睡觉，是一天”来解释“一天”；用年历说明“一月、二月”等。

第三课

宝宝学生字

土　山　石

木　我　好

有　田

以上汉字中，“我，好，有”都较为抽象，比较难学。要多采用手势、多举例，才能协助理解和记忆，并加强复习。

宝宝读词语

天地 大地 太阳

月亮 星星 天亮

大火 大水 火星

水星 三天 三月

下地 地上 地下

宝宝猜词语

汉字教学法

用形象、比喻、诱导、启发式教授汉字

（教学者在与孩子对话中，先采用孩子的昵称，如“宝宝”，使之感到亲切。）

土：“妈妈扫地时，地上有什么？外面马路的地上有什么？对！有土。这个字就是‘土’。”

山：“宝宝见过山吗？山大吗，高吗？对，山又高又大。这个字就是‘山’。”家长指着“山”字的三竖：“你看三座高山立在一起，好高大的山啊！”

石：“山上有石头吗？有。公园的地上有小石头吗？有。这个字就是‘石’。”家长指着“石”字的“口”和上面的一横一撇：“你看，方方的石头上，长了草。”

木：“我们的桌子是用什么东西做的？对，是木头。椅子是用什么做的？对，也是木头。柜子是用什么做的？对，也是木头。这个字就是‘木’。”

我：用手拍着自己的胸脯：“我，我，我。这个字就是‘我’。”

好：收握四指，跷起大拇指：“好棒！好样的。这个字就是‘好’。”

有：“妈妈有手。宝宝有小手吗？哦，有。手指上有指甲吗？有。妈妈有头发。宝宝有头发吗？有。宝宝还有什么？”等孩子回答后，“这个字就是‘有’。”

田：“我们吃的饭和菜都是在田里长大的。农民伯伯在田里劳动。这个字就是‘田’。”家长指着‘田’字：“田都是方方正正的。你看，这块田就分成了四小块田。”

词语教学法

❶ 先念会15个词语。

❷ 让孩子在“宝宝猜词语”下面的图画中找寻与词语“太阳、月亮、星星、天亮、大火、大水、火星”意义相应的图。

❸ 指着每个图让孩子说出能够代表这个图意义的词语。

❹ 让孩子用汉字卡片摆出每个图的代表词语。

❺ 视孩子的年龄和掌握知识的程度不同而异。对较大的孩子先鼓励他们自己说出比较抽象的“天地、大地、水星、三天、三月、下地、地上、地下”的含义；不懂的，再举例解释（见下条）。

❻ 对较小的孩子，用环境和实 物配以讲解，如用：“头上是天，脚下是地，我们站在天地中间”来解释“天地”；用“地多大呀！我们走不到边”解释“大地”；用“地上有土，地上长了草”解释“地上”；讲“蚂蚁钻到了地下的窝里，大树的根长在地下”解释“地下”；表演“从床上下来、从妈妈怀里下来”解释“下地”等。

宝宝学生字

牛　羊　聪

耳　目　心

和　四

以上汉字中，“和”较为抽象，比较难学。要多举例说明，以便加强理解，并要加强复习。

土地 大山 小山

土山 石山 火山

土星 木星 好人

田地 水田 我有

我爸 我妈 我哭

我笑 好山 好水

宝宝猜词语

宝宝读句子

1 我有好爸爸、好妈妈。

2 天上有太阳、月亮、星星。

3 地上有土、石、山、水田。

4 爸爸上山，妈妈下山。

宝宝猜句子

汉字教学法

用形象、比喻、诱导、启发式教授汉字

牛：“宝宝知道帮助农民伯伯耕地的是哪个吗？对了，是牛。牛的头上有角。这个字就是‘牛’。”家长指着“牛”字上的一撇：“看，牛的头上有一只长长的角。”

羊：“宝宝知道‘咩咩’叫的是哪个吗？对了，是羊。羊的头上有两只角。这个字就是‘羊’。”家长指着“羊”字上面的两点：“看，这就是羊头上的两只角，”

耳：“我们用什么来听声音，是用鼻子吗？哦，是用耳朵听。看，这个字就是‘耳’。”

聪：“宝宝想让自己变得更聪明吗？一定想。这个字就是聪明的‘聪’。”家长边用手指着“聪”字里面的“耳”、“口”、“心”和两个点，边说：“你看，‘聪’字里面有个‘耳’，还有‘口’、‘心’和两个点。要想聪明，就要用耳朵好好听别人讲话，用心好好想，两个点是眼睛，要用眼睛好好看，有问题不懂，就要用口问。知道吗？要想聪明，就应该把耳朵、眼睛、心和嘴巴都用起来。”

目：“我们用什么来看东西，是用鼻子吗？哦，是用眼睛看。古时候的人用一个字来表示眼睛，就是‘目’。看，这个字就是‘目’。”家长把“目”字横着放：“看，这像不像一只眼睛？我们把它竖着放，就是‘目’。”

心：“我们用心来做什么，宝宝知道吗？我们用心来想事情，想很多事情。这个字就是‘心’。”家长指着“心”字上的三个点：“看，这个人用他的心想了三件事，一个点表示一件事。

和：家长准备两个小动物玩具：“小狗和小猫是好朋友；宝宝和妈妈是好朋友；爸爸和妈妈也是好朋友。这个字就是谁和谁的‘和’。”

四：家长和孩子一起从一数到四：“1、2、3、4，这个字就是‘四’。”

词语教学法

❶ 先念会17个词语。

❷ 让孩子在“宝宝猜词语”下面的图画中找寻与词语“大山、小山、土山、石山、火山、土星、田地、水田、我爸、我妈、我哭、我笑、好山好水”意义相应的图。

❸ 指着每个图让孩子说出能够代表这个图意义的词语。

④ 让孩子用汉字卡片摆出每个图的代表词语。

⑤ 对较大的孩子先鼓励他们自己说出比较抽象的“土地、木星、好人、我有”的含义；不懂的，再举例解释（见下条）。

⑥ 对较小的孩子，用环境和实物配以讲解，如：带孩子到绿地去看：“宝宝看这里的地不是水泥地，是土地，在土地上就可以种草，种大树。”理解“土地”；用“爱帮助人的，爱学习的，不爱生气的人”来解释“好人”；用“我有爸爸，我有妈妈，我有爷爷，我有奶奶”解释“我有”。

① 先念会四个句子。

② 让孩子在“宝宝猜句子”下面的图画中找寻与四个句子相应的图。

③ 指着每个图让孩子说出这个图的意思。

④ 让孩子用汉字卡片摆出说明每个图的句子。

爸爸、妈妈按课文内容问宝宝的问题

① 谁（哪个）有好爸爸、好妈妈？

② 天上有太阳、月亮和什么？

③ 地上有什么？

④ 谁（哪个）上山？谁（哪个）下山？

拓展宝宝思维宽度和深度的问题

（要按照孩子的年龄和心理认知能力，酌情提问）

① 妈妈（爸爸）有好爸爸、好妈妈吗？他们是宝宝的什么人？

② 白天我们看得见天上的太阳、月亮还是星星？晚上我们看得见天上的太阳、月亮还是星星？

③ 地上除了土、石、山、水田，还可能有什么？

④ 还有谁（哪个）可以上山，谁（哪个）可以下山啊？

大	上	有	天	好	太	大	下	我	下
下	我	大	好	上	天	好	太	天	有
我	太	上	我	大	有	太	天	好	下
上	有	好	太	天	我	大	好	上	下
有	好	上	大	有	上	天	我	大	太
天	下	有	太	我	好	太	大	上	我
太	有	下	好	天	大	我	下	天	上
大	上	我	下	大	有	太	有	好	天

提高专注力汉字教学法

此训练一方面可以让孩子巩固对已学汉字的认识及对形近字的分辨能力，一方面可以提高孩子的视觉集中能力。

① 先引导孩子一行一行按顺序读已经学过的形近字或难学字（多为连词、介词等虚词）以便进一步巩固对汉字的记忆。本课包含“大，太，天，上，下，我，有，好”。

② 再引导孩子一列一列按顺序读已经学过的形近字或难学字。

③ 如果孩子已经学会数简单的数目，可以指导孩子数每个汉字的数目，可一行一行地数，也可一列一列地数（最好两种方法都用）。特别注意数字形相近的汉字，如“大，太，天”等。

④ 进行训练时，视孩子的年龄和能力进行。开始时，不必全部都读或数，可分成两部分或四部分进行。待坚持性有所提高后，再增加难度。

⑤ 一定要多进行表扬和鼓励，以便提起孩子的积极心理。

宝宝学生字

明　头　眉

鼻　手　花

树　五

宝宝读词语

大牛 小牛 水牛

山羊 小羊 小心

中心 心中 四月

四天

宝宝猜词语

宝宝读句子

1 地上有小草和大树。

2 草地上有水牛和小山羊。

3 爸爸和妈妈心中有我。

4 我心中有爸爸和妈妈。

宝宝猜句子

用形象、比喻、诱导、启发式教授汉字

（从此次教学开始，教某个汉字时，要加上与此字相关的几个词语，逐渐提高孩子对于词语的理解。）

明：“过了今天是明天吗？是明天。宝宝听明白了吗？听明白了。明天的‘明’、明白的‘明’，就是这个‘明’字。”

头：“宝宝拍拍你的头，我也拍拍我的头。这个字就是‘头’。”家长指着“头”字上的两个点和一竖：“我们的头上都有头发。你看这个‘头’字上有好几根头发呢！这个就是头发的‘头’、头上的‘头’字。”

眉：“宝宝摸摸你的眉毛，我也摸摸我的眉毛。这个字就是‘眉’。你看，‘眉’字下面的‘目’，就是眼睛，眼睛上面弯弯的不就是眉毛吗？这个字就是眉毛的‘眉’、皱眉头的‘眉’。”

鼻：“宝宝摸摸你的鼻子，我也摸摸我的鼻子。这个字就是‘鼻’。你看，‘鼻’字下面有两行鼻涕。是吗？这个就是鼻子的‘鼻’、鼻涕的‘鼻’字。”

手：“宝宝伸出你的小手，我也伸出我的手。这个字就是‘手’。你看，‘手’字上有这么多手指头。是吗？这个就是小手的‘手’、手指的‘手’字。”

花：“宝宝看看我们家花瓶里的花，有红花，黄花，还有紫花。这个字就是‘花’。”

树：“宝宝知道吗？河边有柳树，公园里有樟树、梧桐树、茶树，还有松树、柏树。这个字就是‘树’。你看，‘树’字的左边有个‘木’字，树长大了，就可以用来做家具了。”

五：家长和孩子一起从一数到五：“1、2、3、4、5，这个字就是五个的‘五’。”

❶ 先念会10个词语。

❷ 让孩子在“宝宝猜词语”下面的图画中找寻与词语“大牛、小牛、水牛、山羊、小羊”意义相应的图。

❸指着每个图让孩子说出能够代表这个图意义的词语。

❹让孩子用汉字卡片摆出每个图的代表词语。

❺ 对较大的孩子先鼓励他们自己说出比较抽象的“小心、中心、心中、四月、四天”的含义；不懂的，再举例解释（见下条）。

❻ 对较小的孩子，用环境和实物配以讲解，如：用“过马路要小心，倒开水要小心”解释“小心”；用几个玩具摆成一个圈，中间放一个娃娃，解释中间的娃娃就是在“中心”；用“妈妈心中总是想着宝宝，宝宝心中是不是也总是想着妈妈”来解释“心中”；用年历说明“四月”和“四天”。

❶先念会四个句子。

❷让孩子在“宝宝猜句子”下面的图画中找寻与四个句子相应的图。

❸指着每个图让孩子说出这个图的意思。

❹让孩子用汉字卡片摆出说明每个图的句子。

爸爸、妈妈按课文内容问宝宝的问题

❶ 地上有什么？

❷ 谁（哪个）心中有我？

❸ 我心中有谁（哪个）？

拓展宝宝思维宽度和深度的问题

（要按照孩子的年龄和心理认知能力，酌情提问）

❶ 尽可能多地说出地上有的东西。

❷ 说出你知道的牛和羊？

❸ 爸爸和妈妈心中除了有宝宝，还有谁（哪个）？

❹ 宝宝心中除了有爸爸、妈妈，还有谁（哪个）？

第六课

宝宝学生字

草　叶　日

风　雨　的

孩　六

提示

以上汉字中，“的”是抽象的词，比较难学。要多举例协助理解记忆，并要加强复习。

宝宝读词语

聪明 明亮 明天

明月 眉头 鼻头

石头 木头 心头

小手 小花 大树

小树 树木 五月

五天 手心

宝宝猜词语

宝宝读句子

1 我有小手。

2 头上有眉、目、耳、鼻和口。

3 眉下有目，鼻下有口。

4 树上有花和叶。

宝宝猜句子

汉字教学法

用形象、比喻、诱导、启发式教授汉字

（从此次教学开始，引导孩子自己进行组词，以便提高孩子注意词语的主动性和求知欲望。）

草：“公园草地上长的是什么东西呀？对，是小草。我们家花盆里长没长草呀？长草了。这个字就是‘草’。你看，一棵直直的草。”家长指着“草”字下面的一竖：“这

就是草地、小草的‘草’。宝宝还知道有什么草？”（黄草，野草）

叶：家长先后指着“叶”字右边的“十”和左边的“口”：“你看，一棵树，旁边落下一片什么东西？对了，一片树叶。这个字就是‘叶’，树叶、绿叶、叶子的‘叶’。宝宝还知道有什么叶？”（红叶，枝叶）

日：家长先在纸上画一个圆圈，在中间点一个点：“这是个什么东西？对，是太阳。古时候的人把它变成这个样子。”家长拿出“日”字，“这个字念‘日’，就是太阳的意思，用一个‘日’字代表太阳。多简单呀！一日，也表示一天。一日、日子、星期日的‘日’。宝宝还知道有什么日？”（日出，日光）

风：“昨天北风二级，今天大风，明天不刮风了。这个字就是‘风’，北风、大风、刮风的‘风’。宝宝还知道有什么风？”（台风，龙卷风）

雨：家长指着“雨”字：“你看，这像一扇窗户吧？窗户外面在下雨，一滴两滴，三滴，四滴雨水。这个字就是‘雨’，下雨、雨水、大雨的‘雨’。宝宝还知道有什么雨？”（风雨，雷阵雨）

的：“这本书是宝宝的，这枝笔是我的，那副眼睛是奶奶的。这个字就是‘的’，我的、宝宝的、奶奶的‘的’。宝宝还知道有什么别的‘的’？”（好的，坏的）

孩：“宝宝是小孩子，表姐是大孩子，你们都是好孩子。这个字就是‘孩’，好孩子、大孩子、小孩子的‘孩’。宝宝还知道有什么孩？”（胖孩子，高孩子）

六：家长和孩子一起从一数到六：“1、2、3、4、5、6，这个字就是六个的‘六’。”

1. 先念会17个词语。
2. 让孩子在“宝宝猜词语”下面的图画中找寻与词语“明月、鼻头、石头、木头、小手，小花、大树、小树、手心、树木”意义相应的图。
3. 指着每个图让孩子说出能够代表这个图意义的词语。
4. 让孩子用汉字卡片摆出每个图的代表词语。
5. 对较大的孩子先鼓励他们自己说出比较抽象的“聪明、明亮、明天、眉头、心头、五月、五天”的含义；不懂的，再举例解释（见下条）。

⑥ 对较小的孩子，用环境和实物配以讲解，如：用“认识很多字的孩子聪明”解释“聪明”；用“爸爸有双明亮的眼睛，宝宝也有一双明亮的眼睛”，解释“明亮”；用“今天晚上睡觉，睡醒了，一睁眼，天亮了。那就是明天”来解释“明天”；表演“皱眉头”解释“眉头”；“妈妈时刻都在想着宝宝，宝宝时刻都在妈妈心头”，解释“心头”；用年历说明“五月”和“五天”。

句子教学法

① 先念会四个句子。

② 让孩子在“宝宝猜句子”下面的图画中找寻与四个句子相应的图。

③ 指着每个图让孩子说出这个图的意思。

④ 让孩子用汉字卡片摆出说明每个图的句子。

爸爸、妈妈按课文内容问宝宝的问题

① 谁（哪个）有小手？

② 头上有眉、目，还有什么？

③ 鼻子下面是什么？眉毛下面有什么？

④ 花和叶在哪里？

拓展宝宝思维宽度和深度的问题

（要按照孩子的年龄和心理认知能力，酌情提问）

① 宝宝有小手，还有谁（哪个）也有手？

② 说出并指出人头上所有的东西。

③ 按照从上面到下面的顺序说出脸上所有的器官（如眉下有眼，眼下有……或口上有鼻，鼻上有……）。

④ 除了树上有花，哪里还有花？

第七课

宝宝学生字

白 红 是

家 多 唱

子 七

提示

以上汉字中，“多、是、子”较为抽象，比较难学。要多举例并辅以手势协助理解记忆，多加强复习。

宝宝读词语

花草　小草　草地

树叶　一日　大风

大雨　小雨　下雨

风雨　雨水　我的

六月　六日　六天

宝宝猜词语

宝宝读句子

1 天上有明亮的太阳和月亮。

2 我有爸爸和妈妈。

3 明日有大风，下大雨。

4 石头上有小草和小花。

宝宝猜句子

汉字教学法

用形象、比喻、诱导、启发式教授汉字

（从此次教学开始，将孩子的昵称“宝宝”改为“你”，以便促进孩子心理的成熟。）

白：“你知道雪是什么颜色吗？对，是白色。小白兔是白色，妈妈的衣服也是白色，我家的墙也是白色。这个字就是‘白’，小白兔、白衣服、白墙的‘白’。你还知道有什么用‘白’字组的词吗？”（白雪，白米）

红：“你知道手割破了，流的血是什么颜色吗？对，是红色。姐姐的红领巾是红色，爸爸的毛衣是红色，花瓶里的花是红色。这个字就是‘红’，红领巾、红毛衣、红花的‘红’。你还知道有什么用‘红’字组的词吗？”（红太阳，红伞）

是：“我是不是你的妈妈？是。你是不是我的孩子？是。这里是不是我们的家？是。我们是不是在认字？是。这个字就是‘是’，是的、不是、是不是的‘是’。”

家：“幼儿园放学后，你要回到哪里？对，回家。爸爸、妈妈下班后要回家，星期天我们要到爷爷、奶奶家，所有的人都有自己的家。这个字就是‘家’。”家长指着“家”字的宝盖头：“你看，‘家’字还有个屋顶呢！我们都在屋顶下面住。这就是回家、爷爷家、奶奶家、自己家的‘家’。你还知道有什么用‘家’字组的词吗？”（大家，人家）

多：“妈妈的头发多不多？多。天上的星星多不多？多。公园里的花草多不多？多。这个字就是‘多’。”家长指着“多”字：“你看，‘多’字里面有两个一样的字，是挺多的吧！这就是多不多、多少、不多的‘多’。你还知道有什么用‘多’字组的词吗？”（多好，多大）

唱：家长唱几句歌后说：“你看妈妈干什么呢？唱歌。爷爷爱唱戏。你爱唱儿歌。这个字就是‘唱’。”家长指着“唱”字：“你看，这个字有好几个口，我们是用口来唱歌的，这就是唱歌、唱戏、唱儿歌的‘唱’。你还知道有什么用‘唱’字组的词吗？”（合唱，独唱）

子：家长准备几个实物：盒子、杯子：“你看，这些是什么？盒子、杯子。你是爸爸、妈妈的孩子，是爷爷、奶奶的孙子。这个字就是‘子’，儿子、孩子、孙子、盒子、杯子的‘子’。你还知道有什么用‘子’字组的词吗？”（本子，屋子）

七：家长和孩子一起从一数到七：“1、2、3、4、5、6、7，这个字就是七个的‘七’。”

词语教学法

1. 先念会15个词语。
2. 让孩子在“宝宝猜词语”下面的图画中找寻与词语“花草、小草、草地、树叶、大风、大雨”意义相应的图。

③ 指着每个图让孩子说出能够代表这个图意义的词语。

④ 让孩子用汉字卡片摆出每个图的代表词语。

⑤ 对较大的孩子先鼓励他们自己说出比较抽象的“一日、小雨、下雨、风雨、雨水、我的、六月、六日、六天”的含义；不懂的，再举例解释（见下条）。

⑥ 对较小的孩子，用环境和实物配以讲解，如：一天就是“一日”；天上落下雨点，就是“下雨”；雨点不大就是“小雨”；天上落下来的水，就是“雨水”；又刮风又下雨，就是“风雨”；把几个自己用的东西放在桌子上，用手势指着说：“我有××，我有××，我有××。”再把孩子用的东西放在桌子上，让孩子用手势指着说：“我有××，我有××，我有××。”用此法解释“我有”；用年历说明“六月”、“六日”和“六天”。

句子教学法

① 先念会四个句子。

② 让孩子在“宝宝猜句子”下面的图画中找寻与四个句子相应的图。

③ 指着每个图让孩子说出这个图的意思。

④ 让孩子用汉字卡片摆出说明每个图的句子。

爸爸、妈妈按课文内容问宝宝的问题

① 太阳和月亮是什么样的？

② 明天天气怎样？

③ 石头上有小草和什么？

拓展宝宝思维宽度和深度的问题

（要按照孩子的年龄和心理认知能力，酌情提问）

① 有什么东西的形状像太阳？月亮的形状像什么（尤其强调月牙像什么）？

② 宝宝怎么叫爸爸的爸爸和妈妈？妈妈的爸爸和妈妈宝宝怎么叫？

③ 明天的天气还可能会是什么样的？

④ 有没有不长小花和小草的石头？

木	白	是	的	木	水	和	日	白	目
日	是	目	白	的	和	木	水	日	是
是	日	目	水	和	的	白	木	是	日
木	白	日	和	目	目	的	是	水	水
水	水	和	日	白	目	是	的	目	木
的	和	水	木	日	是	目	白	的	和
和	的	木	目	是	日	白	水	和	的
白	水	的	是	目	白	日	和	木	木

提高专注力汉字教学法

训练方法同第4课，本课包含“白，日，目，水，木，是，的，和”。

宝宝学生字

爱　爷　奶

少　歌　不

朋　八

提示

以上汉字中，“少、不”较为抽象，比较难学。要多用实物和手势协助理解记忆，并要加强复习。

宝宝学词语

白云 白天 明白 红花

红日 火红 火花 是的

我是 大家 我家 人家

孩子 鼻子 叶子 七月

七日　七天　红太阳

宝宝猜词语

宝宝读句子

1 我是爸爸、妈妈的好孩子。

2 天是太阳、月亮、星星的家。

3 白天，天上有红太阳；地上有红花、白花和小草。

4 爷爷、奶奶家有大水牛和小山羊。

宝宝猜句子

汉字教学法

用形象、比喻、诱导、启发式教授汉字

爱："妈妈爱你，你爱妈妈吗？爱。爸爸爱你，你爱爸爸吗？爱。这个字就是'爱'，爱妈妈、爱爸爸的'爱'。你还知道有什么用'爱'字组的词吗？"（爱心，亲爱）

爷：“爸爸的爸爸是哪个？对，是爷爷。在街上有时见到白头发的男人，你叫他什么？对，老爷爷。这个字就是‘爷’。”家长先后指着“爷”字上面“父”的一撇一捺和“爷”字下面的一竖：“‘爷’字也有胡子，但‘爷’字下面有一根棍，是老爷爷拄的拐杖。像吗？这就是爷爷、老爷爷的‘爷’。你还知道有什么用‘爷’字组的词吗？”（大爷，老爷）

奶：“爸爸的妈妈是哪个？对，是奶奶。在街上有时见到白头发的女人，你叫她什么？对，老奶奶。这个字就是‘奶’，奶奶、老奶奶的‘奶’。你还知道有什么用‘奶’字组的词吗？”（奶牛，牛奶）

少：家长准备一些物品，放成一堆多、一堆少。然后指着少的一堆问：“你知道这堆多还是少？对了，少。”家长再从多的一堆中拿走一些，“现在这堆里面是多了还是少了？对，少了。这个字就是‘少’，多少、少了的‘少’。你还知道有什么用‘少’字组的词吗？”（少量，少数）

歌：“上次我们学过了‘唱’字，你爱唱什么呢？爱唱歌，儿歌，都是歌；妈妈爱唱歌，唱大人的歌。这个字就是‘歌’，唱歌、儿歌的‘歌’。你还知道有什么用‘歌’字组的词吗？”（歌曲，歌唱家）

不：“你打人吗？不打。骂人吗？不骂。随地吐痰吗？不吐。随地丢纸屑吗？不丢。这才是好孩子。这个字就是‘不’，不打、不骂、不吐、不丢的‘不’。”家长边说“不”，边摆手：“你还知道有什么用‘不’字组的词吗？”（不好，不去）

朋：“你是小朋友还是小学生？是小朋友。妈妈是你的大朋友吗？是大朋友。爷爷是你的老朋友吗？是老朋友。这个字就是‘朋’，小朋友、大朋友、老朋友的‘朋’。你看，‘朋’字是由两个‘月’字组成，两个月亮手拉手在一起，是不是好朋友啊？”

八：家长和孩子一起从一数到八：“1、2、3、4、5、6、7、8，这个字就是八个的‘八’。”

❶ 先念会19个词语。

❷ 让孩子在“宝宝猜词语”下面的图画中找寻与词语“白云、白天、红花、火花、大家、孩子、鼻子、叶子、红太阳”意义相应的图。

③ 指着每个图让孩子说出能够代表这个图意义的词语。

④ 让孩子用汉字卡片摆出每个图的代表词语。

⑤ 对较大的孩子先鼓励他们自己说出比较抽象的“明白、红日、火红、是的、我是、我家、人家、七月、七日、七天”的含义；不懂的，再举例解释（见下条）。

⑥ 对较小的孩子，用故事、环境或实物配以讲解，如：用“听懂了”解释“明白”；太阳就是日，红太阳就是“红日”；火是红的，像火一样红就是“火红”；回答一件对的事情用“是的”；向别人介绍自己时用“我是”；说自己家的事用“我家”；不是自己家的事用“人家”；用年历解释“七月、七日、七天”。

句子教学法

① 先念会四个句子。

② 让孩子在“宝宝猜句子”下面的图画中找寻与四个句子相应的图。

③ 指着每个图让孩子说出这个图的意思。

④ 让孩子用汉字卡片摆出说明每个图的句子。

爸爸、妈妈按课文内容问宝宝的问题

① 我是谁（哪个）的好孩子？

② 太阳、月亮和星星的家在哪里？

③ 白天，天上有红太阳，地上有什么？

④ 谁（哪个）家里有大水牛和小山羊？

拓展宝宝思维宽度和深度的问题

（要按照孩子的年龄和心理认知能力，酌情提问）

① 宝宝还是谁（哪个）的好孩子？

② 谁（哪个）会去天上做客？

③ 天黑以后，天上和地上有什么？

④ 还有谁（哪个）的家里会有大水牛和小山羊？

第九课

宝宝学生字

宝　在　学

书　游　友

儿　九

提示

以上汉字中，“在”是抽象的词，比较难学。要多举例协助理解记忆，并要加强复习。

宝宝读词语

爷爷　奶奶　多少

唱歌　爱笑　爱哭

爱唱　不爱　不哭

不笑　不唱　不是

是不是　好不好　不好

八月　八日　八天

宝宝猜词语

宝宝读句子

1 明天多云，有小雨。

2 聪聪爱唱歌。

3 我家有爷爷、奶奶、爸爸、妈妈和我。

4 爷爷爱我，奶奶爱我，爸爸爱我，妈妈爱我。我爱爷爷，我爱奶奶，我爱爸爸，我爱妈妈。

宝宝猜句子

汉字教学法

用形象、比喻、诱导、启发式教授汉字

宝：家长找到孩子最喜爱的东西："这是你的什么？是宝贝。知道你是爸爸、妈妈的什么吗？对了，是宝宝。"家长在纸上画一个宝塔，"你看，这是什么？是座宝塔。这个字就是'宝'。你看，这个字上面又有一个屋顶，一般的宝贝都是在家里的。这个字就是宝贝、宝宝、宝塔的'宝'字。你还知道有什么用'宝'字组的词吗？"（宝石，宝物）

在：“你现在在哪里？在家里。爸爸现在在干什么？在工作。爷爷、奶奶在做什么？在看电视。这个字就是‘在’，在家里、在工作、在看电视的‘在’字。你还知道有什么用‘在’字组的词吗？”（在幼儿园，在看书）

学：“你现在在做什么？在学习。表哥是什么？是小学生。奶奶在学什么？在学弹钢琴。这个字就是‘学’，学习、小学生、学弹琴的‘学’。你还知道有什么用‘学’字组的词吗？”（学校，学跳舞）

书：家长拿一本孩子的书：“这是什么？是书。你有书，爸爸、妈妈也有很多书。我们这些大书、小书都是书。这个字就是‘书’，大书、小书、书的‘书’字。你还知道有什么用‘书’字组的词吗？”（书本，图书）

游：“你喜欢和小朋友们一起做什么？喜欢做游戏。放假时，你希望爸爸、妈妈带你到很远的地方去做什么？去旅游。夏天很热，你想到游泳池去干什么？想游泳。这个字就是‘游’。你看这个‘游’字左边有三个点，就表示水的意思，游泳不是要水的吗！这就是游戏、旅游、游泳的‘游’字。你还知道有什么用‘游’字组的词吗？”（游乐园，游泳池）

友：“上次我们学习了朋友的‘朋’字，这个字就是‘友’。和‘朋’字放在一起，就成了‘朋友’。这就是朋友、好友、友人的‘友’字。你还知道有什么用‘友’字组的词吗？”（友情，友谊）

儿：“你是男孩子，就是我的儿子，对吗？你是女孩子，就是我的女儿，对吗？妈妈是大人，你是什么？是孩子，是儿童。这个字就是‘儿’。‘儿’一般都是小孩子。你看，‘儿’字像不像两条腿在跑？这就是儿子、女儿、儿童的‘儿’字。你还知道有什么用‘儿’字组的词吗？”（儿歌，儿孙）

九：家长和孩子一起从一数到九：“1、2、3、4、5、6、7、8、9，这个字就是九个的‘九’。”

1. 先念会18个词语。
2. 让孩子在“宝宝猜词语”下面的图画中找寻与词语“爷爷、奶奶、唱歌”意义相应的图。
3. 指着每个图让孩子说出能够代表这个图意义的词语。
4. 让孩子用汉字卡片摆出每个图的代表词语。

⑤ 对较大的孩子先鼓励他们自己说出比较抽象的“多少、爱笑、爱哭、爱唱、不爱、不哭、不笑、不唱、是不是、不是、好不好、不好、八月、八日、八天”的含义；不懂的，再举例解释（见下条）。

⑥ 对较小的孩子，用表演、对话和实物配以讲解，如问“我们家里有多少人”和问“我们家里有几个人”的答案一样，解释“多少”和“几个”的意思相同；连续问“你爱哭还是爱笑”、“你爱唱歌还是不爱唱”、“你是不是好孩子”、“我们星期天去公园玩，好不好？”等让孩子明白“爱笑、爱哭、爱唱、不爱、不哭、不笑、不唱、是不是、不是、好不好、不好”等意思；用年历解释“八月、八日、八天”。

① 先念会四个句子。

② 让孩子在“宝宝猜句子”下面的图画中找寻与四个句子相应的图。

③ 指着每个图让孩子说出这个图的意思。

④ 让孩子用汉字卡片摆出说明每个图的句子。

爸爸、妈妈按课文内容问宝宝的问题

① 明天天气如何？

② 聪聪爱做什么？

③ 我家有几个人？有哪几个人？

④ 谁（哪个）爱我？我爱谁（哪个）？

拓展宝宝思维宽度和深度的问题

（要按照孩子的年龄和心理认知能力，酌情提问）

① 后天可能是怎样的天气？

② 聪聪除了爱唱歌，还爱做什么？

③ 爸爸和妈妈家里有谁（哪个）？

④ 爸爸、妈妈除了爱宝宝，还爱谁（哪个）？爷爷、奶奶除了爱宝宝，还爱谁（哪个）？

贝 生 习

看 戏 字

气 十

宝宝读词语

宝宝　在家　不在

小人书　游水　朋友

友人　花儿　儿子

歌儿　儿歌　九月

九日　九天

宝宝猜词语

宝宝读句子

1 我是宝宝，我在家爱唱儿歌。

2 我不爱哭，我爱笑。

3 我的好朋友是聪聪。

4 小头爸爸和大头儿子玩游戏。

宝宝猜句子

汉字教学法

用形象、比喻、诱导、启发式教授汉字

贝：“上次我们学了“宝”字没学“宝贝”这个词，这个字就是‘贝’。和‘宝’连在一起就是宝贝。和‘贝’一起用的词还有贝壳。你看这个‘贝’字像不像一个蜗牛，上面顶着它的“房子”，下面伸出两只脚在爬，像吧？这个字就是宝贝、贝壳的‘贝’。”

生：“上次我们学了‘学’字，这个字是‘生’，和‘学’连在一起是什么词？对了，是‘学生’，小学生，中学生，大学生。你还知道有什么用‘生’字组的词吗？”（先生，医生）

看：“你的眼睛有什么用？看东西，对了。奶奶去医院干什么？去看病。我们去电影院干什么？看电影。这个字就是‘看’。你看，‘看’字下面有个‘目’字。‘目’是什么意思，还记得吗？对了，是眼睛，用眼睛看。这就是看东西、看病、看电影的‘看’字。你还知道有什么用‘看’字组的词吗？”（看书，看报）

习：“上次我们学了‘学’字，这个字是‘习’，和‘学’连在一起是什么词？对了，是‘学习’，我们天天都在学习。表姐每天都在练习弹琴。这个就是学习、练习的‘习’字。你还知道有什么用‘习’字组的词吗？”（自习，温习）

戏：“上次我们学了‘游’字，这个字是‘戏’，和‘游’连在一起是什么词？对了，是‘游戏’。还有看戏、唱戏。这个就是游戏、看戏、唱戏的‘戏’字。你还知道有什么用‘戏’字组的词吗？”（游戏机，京戏）

字：“我们每天都在学习什么呀？对了，是汉字。小明哥哥在学习写大字，你数的”1、2、3……”知道是什么吗？是数字，这个字就是‘字’。你看‘字’这个字，也有屋顶，屋顶下面有个‘子’，就是孩子。古时候，所有的孩子都要在家里学习汉字，要学会读书，就必须要先学会汉字。这个就是汉字、大字、数字的‘字’。你还知道有什么用‘字’字组的词吗？”（写字，文字）

气：“前面我们学了‘生’字，这个字是‘气’，和‘生’连在一起是什么词？对了，是‘生气’。自行车没有气了，就要怎么办？要打气。爸爸生气时，会怎么样？会发脾气。这个字就是‘气’，是生气、打气、发脾气的‘气’字。你还知道有什么用‘气’字组的词吗？”（气球，气味）

十：家长和孩子一起从一数到十：“1、2、3、4、5、6、7、8、9、10，这个字就是十个的‘十’。”

① 先念会14个词语。

② 让孩子在“宝宝猜词语”下面的图画中找寻与词语“宝宝、小书、游水、朋友、花儿、儿子”意义相应的图。

③ 指着每个图让孩子说出能够代表这个图意义的词语。

④ 让孩子用汉字卡片摆出每个图的代表词语。

⑤ 对较大的孩子先鼓励他们自己说出比较抽象的“在家、不在、友人、歌儿、儿歌、九月、九日、九天”的含义；不懂的，再举例解释（见下条）。

⑥ 对较小的孩子，用表演和实物配以讲解，如：表演串门：“你爷爷在家吗？”“不在。”解释了“在家”、“不在”；“朋友”也可以叫“友人”；“歌儿”是唱的，有调子；“儿歌”是说话式的，没有调子，叫“儿歌”；用年历解释“九月、九日、九天”。

参见第九课“短句教学法”。

爸爸、妈妈按课文内容问宝宝的问题

① 我是谁（哪个）？我在家爱做什么？

② 我爱哭吗？

③ 谁（哪个）是我的好朋友？

④ 宝宝是不是好孩子？

拓展宝宝思维宽度和深度的问题

（要按照孩子的年龄和心理认知能力，酌情提问）

① 我叫什么名字？我都爱做什么事情？

② 宝宝小时候爱哭，知道为什么哭吗？现在长大了还爱哭吗？

③ 宝宝的好朋友都有谁（哪个）？

④ 什么样的孩子是好孩子？

月	明	爱	朋	学	不	在	朋	不	字
月	不	明	学	爱	朋	在	在	字	朋
爱	月	不	明	学	字	爱	月	在	朋
月	明	学	学	爱	朋	字	月	不	在
明	字	爱	在	学	明	不	学	月	朋
字	朋	在	学	爱	明	明	月	不	爱
月	在	不	明	在	字	爱	学	字	朋
不	明	在	月	爱	朋	不	字	学	字

提高专注力汉字教学法

训练方法同第4课，本课包含“月，明，朋，字，学，爱，不，在”。

复习一宝宝读词语

宝贝 生人 生水 学习

上学 看书 看戏 游戏

生字 生气 气人 十月

十日 十天 好孩子

小朋友 下雨天 好朋友

小人书 小学生 中学生

大学生 唱儿歌 小红花

复习一宝宝猜词语

复习一宝宝猜词语

复习一宝宝猜词语

复习一宝宝读句子

1 小宝是爱学习的好孩子。

2 爷爷爱看书，奶奶爱看戏，爸爸爱看书，妈妈爱唱歌。

3 我爱爷爷、奶奶、爸爸和妈妈。我是大家的好宝贝。

4 心心和小叶子是好朋友。

5 我爱看书，我爱学习。我是聪明的孩子。

6 天上有太阳、月亮、星星

和白云；地上有土、石、山、水、花和树木。

7 不爱生气、不爱哭的孩子是好孩子。我爱笑，我是好孩子。

8 下雨天，我和明明在我家看小人书。

9 我的好朋友聪聪是小学生，聪聪天天上学。

10 爸爸的爸爸是爷爷。爸爸是爷爷的儿子，我是爸爸的儿子。

复习一宝宝猜句子

复习一宝宝猜句子

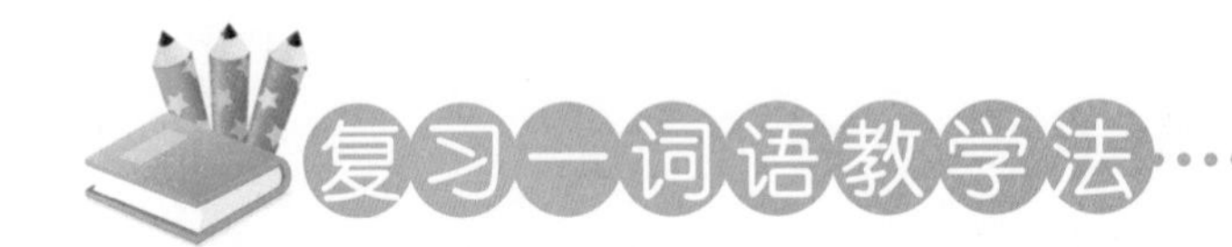

复习一词语教学法

① 先念会24个词语。

② 让孩子在“复习一宝宝猜词语”下面的图画中找寻与词语“学习、上学、看书、看戏、游戏、小朋友、好孩子、下雨天、好朋友、小人书、小学生、中学生、大学生、小红花”意义相应的图。

③ 指着每个图让孩子说出能够代表这个图意义的词语。

④ 让孩子用汉字卡片摆出每个图的代表词语。

⑤ 对较大的孩子先鼓励他们自己说出比较抽象的“宝贝、生人、生水、生字、生气、气人、唱儿歌、十月、十日、十天”的含义；不懂的，再举例解释（见下条）。

⑥ 对较小的孩子，用表演和实物配以讲解，如：最喜爱的就是“宝贝”；没有见过的人就是“生人”；没有烧开的水就是“生水”；发脾气就是“生气”；成心要让人生气就是“气人”；唱没有声调的歌就是“唱儿歌”；用年历解释“十月、十日、十天”。

复习一短句教学法

参见第九课“短句教学法”。

爸爸、妈妈按复习一内容问宝宝的问题

① 谁（哪个）是爱学习的好孩子？

② 爷爷爱做什么？奶奶爱做什么？谁（哪个）爱唱歌？谁（哪个）爱看书？

③ 我是谁（哪个）的好宝贝？

④ 小叶子和谁（哪个）是好朋友？

⑤ 我爱做什么？

⑥ 天上有星星、白云，还有什么？地上有土、石、山和什么？

⑦ 什么样的孩子是好孩子？我是不是好孩子？

⑧ 我和明明什么时候在家看小人书？

⑨ 我的好朋友是谁（哪个）？他天天要去做什么？

⑩ 爸爸的爸爸是谁（哪个）？谁（哪个）是爷爷的儿子？我是爸爸的什么人？

复习一拓展宝宝思维宽度和深度的问题

（要按照孩子的年龄和心理认知能力，酌情提问）

1. 爷爷、奶奶、爸爸和妈妈的爱好不同，他们因为爱好不同吵架吗？为什么？
2. 是谁（哪个）给了宝宝这么快乐的生活？
3. 宝宝爱学习，宝宝爱帮助妈妈做家务事吗？好孩子是不是应该帮助做家务事？
4. 下雨天出去，要带什么东西？
5. 奶奶的儿子是宝宝的谁（哪个）？外公的女儿是宝宝的谁（哪个）？

课后复习二

用字卡复习

1. 由孩子任意用学过的汉字卡片组词：如“草人、红叶、家中、山石、白石头”等。
2. 由孩子寻找并组成表示人物的词组，如“爸爸、妈妈、小朋友、大学生”等。
3. 由孩子寻找属于植物的词组，如“小草、树木”等。
4. 由孩子寻找属于动物的词组，如“小羊、水牛”等。
5. 由孩子寻找属于人体各部的词组，如“头、耳”等。
6. 由孩子寻找属于自然界的词组，如“太阳、下雨”等。
7. 由孩子寻找属于生活的词组，如“唱歌、学习”等。
8. 由孩子任意用学过的汉字卡片组成句子：如“我有小人书。明明是中学生。我的好朋友有五人”等。